Las Mejores
FRASES
CÉLEBRES
de México y el Mundo

Las Mejores
FRASES
CÉLEBRES
de México y el Mundo

Antonio Morales Saldívar

Grupo Editorial Tomo, S. A. de C. V.
Nicolás San Juan 1043
03100 México, D. F.

1a. edición, abril 1999.

© Las Mejores Frases Célebres de México y el Mundo
   Autor: Antonio Morales Saldívar

© 1999, Grupo Editorial Tomo, S. A. de C. V.
   Nicolás San Juan 1043, Col. Del Valle
   03100 México, D. F.
   ISBN: 970-666-168-9
   Miembro de la Cámara Nacional
   de la Industria Editorial No. 2961

Diseño de la portada: Emigdio Guevara

Supervisor de Producción: Leonardo Figueroa

Impreso en México - Printed in Mexico

INTRODUCCIÓN

"Yo no cito a otros más que para expresar mejor mi pensamiento". Esta frase del pensador francés Michel E. de Montaigne se acerca lo más posible a la real intención de **Las Mejores FRASES CÉLEBRES de México y el Mundo.** Esta obra es una gran recopilación de frases, máximas y reflexiones que, a través de la historia, han hecho importantes personajes de la humanidad.

¿Cuántas veces no decimos a nuestros hijos, hermanos o amigos algún refrán o frase para expresar nuestro sentimiento con respecto a un hecho sin saber realmente quién la dijo y por qué? En esta obra, usted podrá encontrar una gran variedad de refranes y frases que dijeron importantes hombres y que el tiempo ha hecho célebres.

Temas como el amor, la amistad, la vida, el hombre o la mujer, han sido tomados en cuenta para llevar a cabo este libro, ya que siempre han sido tópicos de gran interés para el público en general. Asimismo, los personajes que hemos seleccionado, son conocidos ampliamente en todo el mundo por sus obras y acciones, llegando a ser catalogados como "genios" o "grandes pensadores". Entre ellos, podemos encontrar a varios mexicanos, mujeres y hombres que han contribuido con su pensamiento y su talento a la cultura universal.

Creemos que **Las Mejores FRASES CÉLEBRES de México y el Mundo** se convertirá en un importante texto para estudiantes, maestros, profesionistas y todos aquellos que quieran aumentar su cultura. Estamos seguros de que este libro, además de ser una lectura recreativa, se convertirá en una obra de constante consulta para usted y toda su familia.

AMISTAD

* La amistad es la hermana de leche del amor.

  Carlos Monsiváis (mexicano)

* Entre dos amigos, sólo uno de ellos es amigo del otro.

  Anónimo

* En la prosperidad, nuestros amigos nos conocen; en la adversidad, nosotros conocemos a nuestros amigos.

  C. Collins

* La vida no es nada sin amistad.

  Cicerón

* Al elegir un amigo ve despacio y más despacio todavía al cambiar de amigos.

  Benjamín Franklin

* Amistad, don del cielo, deleite de las grandes almas; amistad, cosa que los reyes, que tanto se distinguen por su ingratitud, no tienen la dicha de conocer.

  Voltaire

* Cuando la fortuna sonríe, ¿qué necesidad hay de amigos?

  Eurípides

* El que no es amigo de toda la humanidad, no es amigo mío.

  Molière

* El que prescinde de un amigo, es como el que prescinde de su vida.

Sófocles

* El vulgo estima a los amigos por las ventajas que pueden obtenerse de ellos.

Ovidio

* Hay tres amigos fieles: una esposa vieja, un perro viejo y dinero contante y sonante.

Benjamín Franklin

* La amistad beneficia siempre; el amor causa daños a veces.

Séneca

* La amistad es el matrimonio del alma y este matrimonio está sujeto al divorcio.

Voltaire

* La amistad perfecta es la que existe entre hombres buenos, iguales en virtud.

Aristóteles

* La amistad es un perfecto acuerdo sobre todas las cosas divinas y humanas, junto con un sentimiento recíproco de benevolencia y afección.

Cicerón

* La verdadera amistad es una planta de lento desarrollo y debe experimentar y resistir los embates de la adversidad antes de tener derecho a esa denominación.

George Washington

* Los amigos nos abandonan con demasiada facilidad, pero nuestros enemigos son implacables.

Voltaire

* Puedes censurar al amigo en confianza, pero debes alabarlo delante de los demás.

Leonardo da Vinci

* Un amigo es un segundo yo.

Cicerón

* Un amigo ofendido, es el más encarnizado enemigo.

Thomas Jefferson

* Un hermano puede no ser un amigo, pero un amigo será siempre un hermano.

Benjamín Franklin

* No le profesa amistad verdadera y pura sino quien habla la verdad y le aconseja el bien.

Simón Bolívar

* La primera ley de la amistad es pedir de los amigos cosas honradas y hacer cosas honradas por los amigos.

Cicerón

* Toda la grandeza de este mundo no vale lo que un buen amigo.

Voltaire

* La amistad que puede concluir, nunca fue verdadera.

San Jerónimo

* La amistad nace con la luz y se afirma con el trato.

Molière

* La amistad es un alma que habita en dos cuerpos; un corazón que habita en dos almas.

Aristóteles

* El amigo debe ser como el dinero, que antes de haberle menester, se sabe el valor que tiene.

Sócrates

* La amistad es el amor, pero sin alas.

Lord Byron

* Vivir sin amigos, no es vivir.

Cicerón

AMOR

* Donde no se puede amar... hay que pasar de largo.

  Nietzsche

* El misterio del amor es más profundo que el misterio de la muerte.

  Oscar Wilde

* Sólo padeciendo por amor se sabe cuánto se ama.

  Antonieta Rivas Mercado (mexicana)

* El amor es acercarse a todo, incluso a Dios.

  Emilio Fernández (mexicano)

* Para muchas personas el amor es como el fútbol: persiguen apasionadamente un objeto para darle un puntapie una vez que lo han alcanzado.

  Marco Antonio Almazán (mexicano)

* Nada más absurdo que el principio del amor; nada más lógico que su final. Sin embargo, consideramos los casos a la inversa.

  Rodolfo Usigli (mexicano)

* A la mujer le gusta creer que el amor puede lograr cualquier cosa; es su superstición personal.

  Nietzsche

* Los hombres quieren ser siempre el primer amor de una mujer. Tal es su tosca vanidad. Las mujeres tienen un instinto más sutil, ya que prefieren ser la última aventura romántica de un hombre.

Oscar Wilde

* La raíz de todas las pasiones es el amor; de él nace la tristeza, el gozo, la alegría y la desesperación.

Lope de Vega

* El amor es una de las bellas artes, la primera de todas.

Alfonso Toro (mexicano)

* Amar es despojarse de los nombres.

Octavio Paz (mexicano)

* Cuando un hombre a amado una vez a una mujer, hará por ella cualquier cosa, excepto seguir amándola.

Oscar Wilde

 * El amor nace, vive y muere en los ojos.

Shakespeare

* Si el amor es la mayor de las pasiones, es porque las reúne a todas en sí.

Balzac

* El amor comienza y termina en la boca: al principio, un beso; al final, un bostezo.

Nikito Nipongo (mexicano)

* El amor se nutre con llanto.

Juan de Dios Peza (mexicano)

* El amor es la enfermedad que nos devuelve a la salud esencial.

Marco Antonio Montes de Oca (mexicano)

* Amor es un cambio completo de naturaleza, inmenso goce en que se halla inmenso dolor, deseo de muerte en la vida, esperanza de vida en la muerte.

Vicente Riva Palacio (mexicano)

* Las mujeres aman a los hombres por sus defectos; si tienen bastantes, les perdonarán cualquier cosa, hasta una gigantesca inteligencia.

Oscar Wilde

* Cuando el hombre ama en verdad, su pasión lo penetra todo y es capaz de traspasar la tierra.

Rubén Darío

* El amor es igual que un árbol; se inclina por su propio peso, arraiga profundamente en todo nuestro ser y a veces sigue verdeciendo en las ruinas de un corazón.

Víctor Hugo

* Mi único amor siempre ha sido el de la patria; mi única ambición, su libertad.

Simón Bolívar

* El amor es el déspota más orgulloso del mundo; o todo o nada.
Stendhal

* El amor es ciego y los amantes no pueden ver las bellas locuras que hacen.

Shakespeare

* De mis pecados los más negros están enamorados.
Ramón López Velarde (mexicano)

* Nuestras vidas son los ríos que van a dar al amar que es el vivir.
Efraín Huerta (mexicano)

* En amor sólo hay dos situaciones: persigue uno a una mujer o trata de librarse de ella.
Julio Torri (mexicano)

* Todo hombre mata aquello que ama. Unos lo hacen con una mirada cruel; otros con una palabra halagadora. El cobarde lo hace con un beso; el valiente, con un cuchillo.

Oscar Wilde

* El amor es el ala veloz que Dios ha dado al alma para que vuele hasta el cielo.

Miguel Ángel

* Es muy cierto que sólo el amor hace que el hombre necesite a sus semejantes.

Goethe

* El buen ciudadano debe amar a todos, loar lo bueno y tener compasión de los malvados.

Maquiavelo

* Amar es combatir.

Octavio Paz (mexicano)

* Ama como puedas, ama a quien puedas, ama todo lo que puedas... pero ama siempre.

Amado Nervo (mexicano)

* El amor es nomás sueño y quimera.

Rodolfo Usigli (mexicano)

* El verdadero amante en todas partes ama y siempre se acuerda del amado.

Santa Teresa

* El amor sólo con amor se consigue; si quieres ser amado, empieza por amar.

Séneca

* El amor inspira las más grandes hazañas e impide realizarlas.

Alejandro Dumas, hijo

* El amor verdadero hace milagros, porque él mismo es ya el mayor milagro.

Amado Nervo (mexicano)

* El amor es un ardiente olvido de todo.

Víctor Hugo

* No puede amar a otro el que a sí no se ama, ni amarse el que a sí no se conoce.

Quevedo

* Una mirada, un suspiro, el silencio, son suficientes para explicar el amor.

Molière

* El que más ama, más perdona.

Amado Nervo (mexicano)

* Aprende a conocerte para amarte menos y a conocer a los demás para no amarlos nada.

Alfonso Teja Zabre (mexicano)

Amar es entre todos los sentimientos del alma, el que más se parece a la eternidad, el que más nos acerca a ella.

José Vasconcelos (mexicano)

* Mi amor es mi peso; por él voy dondequiera que voy.

San Agustín

* Al contacto del amor todo mundo se vuelve poeta.

Platón

* El amor es el estado en que el hombre ve más las cosas como no son.

Nietzsche

* La finalidad suprema del vivir es el amor en todas sus formas.

Diego Rivera (mexicano)

* Del odio al amor no hay más que un paso a desnivel.

Efraín Huerta (mexicano)

* Lo peor y lo mejor de estar enamorado es ese afán de que el mundo entero conozca y comparta nuestras flaquezas.

Renato Leduc (mexicano)

* Desgraciado el hombre que ama a una mujer más de una hora.

Doctor Atl (mexicano)

* El amor es muy tímido cuando es nuevo.

    Lord Byron

* El amor no mira con los ojos, sino con el espíritu; por eso pintan ciego al alado cupido.

    Shakespeare

* El verdadero amor supone siempre la renuncia a la propia comodidad personal.

    Tolstoi

* El verdadero amor no habla: obra.

    Nikito Nipongo (mexicano)

* Al que ingrato me deja, busco amante;
    al que amante me sigue, dejo ingrata;
    constante adoro a quien me maltrata;
    maltrato a quien mi amor busca constante.

    Sor Juana Inés de la Cruz (mexicana)

* La única diferencia entre un capricho y una pasión inextinguible consiste en que el capricho dura un poco más.

    Oscar Wilde

* ¡Oh amor poderoso!, que a veces haces de una bestia un hombre y otras, de un hombre una bestia.

    Shakespeare

* El amor es una de las grandes verdades que el hombre puede encontrar en el mundo, entre otras cosas porque le hace ver, vivir el mundo.

    Juan García Ponce (mexicano)

* Siempre que haya un hueco en tu vida, llénalo de amor.

    Amado Nervo (mexicano)

* A veces, el amor a los animales bien entendido debería empezar por uno mismo.

    Marco Antonio Almazán (mexicano)

ARTE

* El arte es profundamente humano y está cargado de bondades, defectos y errores de hombre.

  Juan Soriano (mexicano)

* El arte rompe la ley cósmica, implica su primera excepción, su contingencia de lo humano, es otra ley de la existencia.

  Antonio Caso (mexicano)

* El hombre camina por el arte hacia el paraíso de libertad de donde procede.

  Alberto Bonifaz Nuño (mexicano)

* El arte no es una inspiración que nace del hombre, sino un sistema que incorpora al hombre a la ley de su destino en la tierra y en el cielo.

  José Vasconcelos (mexicano)

* La creación artística es el contacto con los demás, la unión comprensiva y amorosa.

  David Alfaro Siqueiros (mexicano)

* El arte ha de ser, ante todo, un halago a los sentidos.

  Martín Luis Guzmán (mexicano)

* En el hombre moderno, el arte puede ser un remedio para atenuar o curar su angustia metafísica ante la nada.

  Samuel Ramos (mexicano)

* El lenguaje del arte eleva y acerca a los hombres.

Jaime Torres Bodet (mexicano)

* El arte es un medio propicio para palpar el estado de ánimo de una época.

Raúl Cardiel Reyes (mexicano)

* El arte es esencialmente el arte de mentir.

Jorge Cuesta (mexicano)

* El arte sobrevive a las sociedades que lo crean. Es la cresta visible de ese iceberg que es cada civilización hundida.

Octavio Paz (mexicano)

* El hombre tiene una nostalgia de la creación; no se conforma con vivir sino que también necesita crear.

Juan José Arreola (mexicano)

* El verdadero artista todo lo saca de su corazón.

Antiguo Texto Náhuatl (mexicano)

* El tema en el arte, es sólo un medio y no un fin.

José Clemente Orozco (mexicano)

* Todo acto de creación es un acto de amor.

José Revueltas (mexicano)

* El problema del arte consiste en untar el espíritu a la materia, en tratar de detenerlo.

Juan José Arreola (mexicano)

* La obra de arte es una señal de inteligencia en que se intercambian el sentido y el sin-sentido.

Octavio Paz (mexicano)

* En toda obra de arte hay un proceso de magia.

José Luis Cuevas (mexicano)

* Toda obra de arte es una lectura del mundo y simultáneamente, una lectura de sí misma.

Carlos Fuentes (mexicano)

* El arte ha muerto. Su fantasma está más vivo que nunca.

José Emilio Pacheco (mexicano)

* El artista crea sus propios mitos y el más importante de éstos es el mito de sí mismo.

José Luis Cuevas (mexicano)

* El artista hace el bien haciendo bien las cosas.

José Emilio Pacheco (mexicano)

* El arte es algo indefinible, aun para aquellos que tienen la capacidad para crearlo.

José Clemente Orozco (mexicano)

* El teatro no es otra cosa que la vida llevada al arte.

Salvador Novo (mexicano)

* El arte es la única salvación de México.

José Vasconcelos (mexicano)

* La cultura no es sólo un saber, sino un saber aprender, un saber juzgar y un saber resolver.

Ignacio Chávez (mexicano)

BONDAD

* Haz el bien a la mayor cantidad de gente posible, pero trata a la menor cantidad posible.

  Amado Nervo (mexicano)

* Los hombres pueden hacer bueno lo que es malo y malo lo que es bueno.

  Cicerón

* No es necesario que la bondad se manifieste, sino que se deje ver.

  Platón

* No conozco otro símbolo de excelsitud que la bondad.

  Beethoven

* La bondad es la exclusión de todos los defectos y todas las maldades.

  Simón Bolívar

* Bueno es aquello cuyo contrario es malo.

  Aristóteles

* Más joven se levanta cada mañana el hombre bueno.

  José Martí

* En todo hombre bueno habita Dios.

  Séneca

* Lo bueno es bueno aunque carezca de nombre; lo vil es siempre vil.

Shakespeare

* Quien de verdad quiere ser bueno, lo será.

Séneca

* El buen procedimiento consiste en ser en todo sincero y conformar el alma con voluntad universal, esto es, hacer con los demás lo que yo deseo que ellos hagan conmigo.

Confucio

IMP * Cuando a la bondad del alma se le une la belleza del cuerpo, todos se acercan al ser afortunado y se detienen ante él.

Goethe

* La verdadera bondad es invencible porque no se cansa.

Séneca

* Si encontráis a un hombre virtuoso y bueno, no le apartéis de vosotros; honradlo para que no tenga que huir de vosotros y refugiarse en desiertos y cavernas u otros lugares solitarios, lejos de vuestras insidias; mirádlo como a dioses terrenales, merecedores de estatuas y simulacros.

Leonardo da Vinci

* No existe nada bueno ni nada malo; es el pensamiento humano el que lo hace parecer todo así.

Shakespeare

* La bondad es simple; la maldad, múltiple.

Aristóteles

* Gran parte de la bondad consiste en querer ser bueno.

Séneca

* No se puede ser bueno a medias.

Tolstoi

* No todos los hombres pueden ser ilustres, pero pueden ser buenos.

Confucio

* Nunca hasta tal punto están cerradas todas las salidas, que no haya lugar para alguna acción buena.

Séneca

* Sé bueno y te aburrirás.

Mark Twain

* Hay cosas buenas aun en lo malo; sólo observando se puede distinguir.

Shakespeare

* Mejor es no ser bondadoso que serlo a cambio de una recompensa.

Proverbio chino

* Aun en el hacer bien, lo primero es la satisfacción personal; el bien de la otra persona permanece siempre en segundo lugar.

Mark Twain

* Muchos son buenos, si se da crédito a los testigos; pocos, si se toma declaración a sus conciencias.

Quevedo

* Dondequiera que haya un ser humano, existe una probabilidad para la bondad.

Séneca

* El hombre bueno es su propio amigo.

Sófocles

* En la bondad se encierran todos los géneros de la sabiduría.

Eurípides

* El espíritu recto se regocija con el bien y sufre con el mal.

Cicerón

* Dejemos de discutir lo que debe ser un hombre bueno ...y procuremos serlo.

Marco Aurelio

* No todos los hombres malos pueden llegar a ser buenos, pero no hay ningún hombre bueno que no haya sido malo alguna vez.

    San Agustín

* Nunca será posible desembarazarse por completo del mal, pues siempre debe haber algo contrario al bien.

    Platón

* Los hombres son menos sensibles al bien que al mal.

    Tito Livio

* El bueno será siempre libre aunque sea esclavo; el malo, será esclavo aunque sea rey.

    San Agustín

* La probabilidad de hacer el mal se encuentra cien veces al día y la de hacer el bien, una vez al año.

    Voltaire

* Sólo hay una manera de poner fin al mal y es devolver bien por mal.

    Tolstoi

* El bueno odia el pecado por un amor innato a la virtud.

    Horacio

CORAZÓN

* El espíritu busca, pero el corazón es el que encuentra.

    George Sand

* El corazón tiene sus razones que la razón desconoce.

    Pascal

* El corazón del hombre es como el horizonte: una parte del cielo; pero, como el horizonte, cambia noche y día.

    Lord Byron

* Por muy lejos que el espíritu vaya, nunca irá más lejos que el corazón.

    Confucio

* A donde se inclina el corazón, allí se inclina el pie.

    Proverbio árabe

* Nuestro corazón tiene la edad de aquello que ama.

    Marcel Prevost

* Los grandes corazones producen grandes hechos.

    Shakespeare

* El corazón del hombre es una rueda de molino que trabaja sin cesar; si nada echáis a moler, corréis el riesgo de que se triture a sí misma.

    Lutero

* Los locos tienen el corazón en la boca y los cuerdos la boca en el corazón.

Proverbio bíblico

* El corazón es lo último que se desprende de la tierra y la memoria lo último que se desprende del corazón.

Alejandro Dumas, hijo

* Si un rostro hermoso es una carta de recomendación, un buen corazón es una letra de crédito.

Bulwer-Lytton

* Los animales tienen corazón y pasiones, pero la santa imagen de lo honesto y de lo bello sólo puede tener cabida en el corazón humano.

Rousseau

* Somos más sociables y nos hacemos estimar más por nuestro corazón que por nuestro talento.

Molière

DEBER

---

* El deber es un Dios que no consiente ateos.

  Víctor Hugo

* Ante el sentimiento del deber enmudecen las más rebeldes pasiones.

  Kant

* El deber de un hombre está allí donde es más útil.

  José Martí

* ¡Desgraciado de aquel que no sabe sacrificar un día de placer a los deberes de la humanidad!

  Rousseau

* El deber es lo que esperamos que hagan los demás, no lo que hacemos nosotros mismos.

  Oscar Wilde

* Cuando el hombre concentra toda su energía en el cumplimiento del deber, se acerca a Dios.

  Emerson

* No hay deber que descuidemos tanto como el deber de ser felices.

  R. L. Stevenson

* La vida humana se compone de pequeñas acciones que constituyen grandes deberes.

  Phillipe Gerbert

* Cuando un hombre estúpido hace algo que le avergüenza, siempre dice que cumple con su deber.

  Bernard Shaw

* El deber es el nombre que le damos a nuestro deseo cuando queremos que otro lo cumpla.

  Jacinto Octavio Picón

* La mayor perfección del hombre es cumplir el deber por el deber.

  Kant

* No existen deberes innobles.

  Manzoni

* El deber es ser útil, no como se desee, sino como se pueda.

  Amiel

* Al lado de cada derecho que se pueda disfrutar, hay siempre un deber que cumplir.

  Padre Ráulica

DEFECTOS

* Defender o negar nuestros defectos cuando se nos reprenden, es aumentarlos.

La Rochefoucauld

* El defecto es un monstruo que nos procrea.

Pitágoras

* Quien soporta mis defectos, es mi amo aunque sea mi criado.

Goethe

* Hay personas tan ligeras y tan frívolas, que son tan incapaces de tener verdaderos defectos como sólidas cualidades.

La Rochefoucauld

* El que conoce sus defectos está muy cerca de poder corregirlos.

Aristarco

* A veces cuesta mucho más eliminar un solo defecto que adquirir cien virtudes.

La Bruyère

* Entretenerse en buscar defectos al prójimo es prueba suficiente de no ocuparse apenas de los suyos propios.

San Francisco de Sales

* La confesión de los pequeños defectos es, frecuentemente, un deseo de dar a entender que no tenemos otros mayores.

La Rochefoucauld

* Son muy pocos los hombres que saben tolerar en otros los defectos que ellos mismos adolecen.

Arturo Graf

* ¿Por qué ves la paja en el ojo de tu hermano y no ves la viga en tu ojo?

La Biblia, Evangelio de San Mateo

* Si no tuviésemos defectos, no nos complaceríamos tanto en descubrirlos en los demás.

La Rochefoucauld

* El sabio se avergüenza de sus defectos, pero no de corregirse de ellos.

Confucio

* Nos quejamos porque creen ver en nosotros defectos que no existen y olvidamos que no ven una infinidad de defectos que realmente tenemos.

Pierre Nicole

* Sólo los grandes hombres pueden tener grandes defectos.

La Rochefoucauld

* El peor de los defectos es imaginarse exento de ellos.

Bottach

* El que está en muchos cabos, está en ninguno.

Fernando de Rojas

* Hay ciertos defectos que, bien manejados, brillan más que la misma virtud.

La Rochefoucauld

* Es conveniente hacerse esperar de las mujeres. Mientras nos esperan evocan todos nuestros defectos y aun nos atribuyen los que no tenemos. Para con las mujeres es bueno poseer muchos defectos, pues no nos suelen amar por nuestras virtudes.

Pitigrilli

DESEO

* Mientras tenemos un deseo, tenemos una razón de vivir. La satisfacción es la muerte.

Bernard Shaw

* El deseo suaviza los más pesados trabajos.

P. José de Tamayo

* Los deseos de nuestra vida forman una cadena cuyos eslabones son las esperanzas.

Séneca

* Los hombres se perderían si siempre lograran lo que desean.

Bottach

* Sucede con frecuencia que la posesión mata los más grandes poemas del deseo, a cuyos sueños corresponde raramente el objeto poseído.

Balzac

* Amor y deseo son dos cosas diferentes; que no todo lo que se ama se desea, ni todo lo que se desea se ama.

Cervantes

* El deseo es la manifestación de la vida toda.

Dostoievski

* A los que mucho desean, les falta mucho.

Horacio

* El que quiere librarse de un mal sabe siempre lo que quiere; el que desea algo mejor de lo que tiene, ese está completamente ciego.

Goethe

* Siempre nos resistimos a las prohibiciones y deseamos lo que nos niegan.

Ovidio

* Los deseos deben obedecer a la razón.

Cicerón

* Si el hombre lograra la mitad de sus deseos, redoblaría sus inquietudes.

Benjamín Franklin

* El hombre es mortal por sus temores, e inmortal por sus deseos.

Pitágoras

* Tanto más fatiga el bien deseado cuanto la esperanza está más cerca de poseerlo.

Cervantes

* El deseo y la felicidad no pueden vivir juntos.

Epicteto

* La vaca desea los arreos del caballo y el caballo perezoso, estar al arado.

Horacio

* De noche es cuando ve mejor el deseo.

Shakespeare

* Los deseos se alimentan de esperanzas.

Cervantes

* Lo mucho se vuelve poco con desear un poco más.

Quevedo

* Los deseos del hombre aumentan con sus adquisiciones.

Dr. Johnson

* No satisfagáis jamás hasta la saciedad vuestros deseos; así os proporcionaréis nuevos placeres.

Proverbio chino

DESGRACIA

* La adversidad es un espejo en el que deben mirarse todos los que verdaderamente quieran conocerse.

Antonio Manero (mexicano)

* Al hombre le cuesta muy poco esfuerzo atraerse la desgracia.

Menandro

* Del árbol caído todo mundo hace leña.

Refrán español

* Dichosos los pueblos cuyos anales son aburridos.

Montesquieu

* El hombre sabio ve en las desventuras ajenas las que debe evitar.

Publio Siro

* El hombre sobrelleva el infortunio sin quejarse y por eso le hace sufrir más.

Franz Schubert

* El infortunio pone a prueba a los amigos y descubre a los enemigos.

Epicteto

* La adversidad acaba por encontrar al hombre junto al que había pasado.

Séneca

* La filosofía triunfa con facilidad sobre las desventuras pasadas y futuras; pero las desventuras presentes triunfan sobre la filosofía.

La Rochefoucauld

* Los hombres que son desgraciados, como los que duermen mal, se enorgullecen siempre del hecho.

C. C. Colton

* A veces, mejor que combatir o querer salir de una desgracia, es intentar ser feliz, dentro de ella, aceptándola.

Maeterlink

* La desgracia puede debilitar la confianza, pero no debe quebrantar la convicción.

G. de Rémusat

* Todos tenemos la fortaleza suficiente para soportar las desgracias ajenas.

La Rochefoucauld

* Hay gente a quienes no se puede participar ninguna desgracia sin que en seguida nos participen ellas otra semejante.

Hebbel

* El que desprecia demasiado, se hace digno de su desprecio.
Amiel

* La desgracia es capaz de abrir los ojos hasta a los ciegos. Es una maestra que sabe mucho y una amiga que no engaña, como la felicidad.

Ruiz Aguilera

* Feliz el hombre que está siempre temeroso, pero quien endurece su corazón cae en la desgracia.
La Biblia, Libro de los Proverbios

* Es algún consuelo en las desgracias hallar quien de ellas se duela.
Cervantes

* Tuve por maestro a la desgracia y me ha servido de mucho.
  Confucio

* En la adversidad es donde conocemos nuestros recursos para hacer uso de ellos.
  Horacio

* Es la desgracia del hombre no contentarse nunca.
  Simón Bolívar

* La desdicha es el vínculo más estrecho de los corazones.
  La Fontaine

* Afortunadamente, el ser humano sólo puede comprender hasta cierto grado de desgracia; lo que va más allá, o lo aniquila o le deja indiferente.
  Goethe

* Acusar a los demás de nuestras propias desgracias es consecuencia de nuestra ignorancia; acusarse a sí mismo es comenzar a entenderse, no acusar ni a otros ni a sí, esa es la verdadera sabiduría.
  Epicteto

* La desgracia de los hombres proviene siempre de que colocan mal su precaución y su confianza.
  Epicteto

* La mayor desgracia es merecer la desgracia.
  La Fontaine

* Ordinariamente las dichas han venido sin desearse; ordinariamente, las desgracias han sucedido sin temerse.
  Quevedo

* El destierro ilumina; la desgracia corrige.
  Víctor Hugo

* Al desdichado las desgracias le buscan y le hallan, aunque se esconda en los últimos rincones de la tierra.
  Cervantes

* Las desgracias son las lágrimas del alma.

San Agustín

* Pocos son los que se tienen por desgraciados, si no es comparándose con los más dichosos.

Santa Teresa

* Ninguno, si no se compara, es desdichado. Desdichado es el que por tal se tiene. Más cuenta tiene con Dios el desdichado que el feliz.

Séneca

DINERO

---

* Sobre un buen cimiento se puede levantar un buen edificio y el mejor cimiento y zanja del mundo es el dinero.

Cervantes

* Si queréis conocer el valor del dinero, no tenéis más que pedirlo prestado.

Benjamín Franklin

* No estimes el dinero en más ni en menos de lo que vale, porque es buen servidor y mal amo.

Alejandro Dumas, padre

* El dinero es la semilla del dinero y el primer duro es más fácil de ganar que el segundo millón.

Rousseau

* El dinero no representa más que una nueva forma de esclavitud, la esclavitud personal que ha sustituido a la antigua esclavitud personal.

Tolstoi

* Más vale hombre sin dinero que dinero sin hombre.

Temístocles

* ¡Oh miseria humana, a cuántas cosas te sometes por el dinero!

Leonardo da Vinci

* El dinero es la llave que abre todas las puertas.

Molière

* El dinero es en sí mismo un mal.

Tolstoi

* Partir el dinero entre dos enamorados equivale a aumentar su amor, recibirlo uno de otro equivale a matarlo.

Stendhal

* Cuando el dinero habla, la verdad calla.

Proverbio ruso

* No hay leyes posibles contra el dinero.

Napoleón

* No hay fortaleza tan bien defendida que no pueda conquistarse con el dinero.

Cicerón

* El oro vale por veinte oradores.

Shakespeare

* Para ganar la guerra se necesitan tres cosas: dinero, dinero y dinero.

Napoleón

* El dinero es un sustantivo de la vida. Las preocupaciones y las luchas son para ganar dinero. Aunque sea difícil ganar dinero, es mucho más difícil vivir. Por ello hemos llegado a donde estamos. La vida ha sido sustituida por la lucha por el dinero.

D. H. Lawrence

DIOS

* Dios quiso ser entre nosotros y está siendo en su creación.

  Juan José Arreola (mexicano)

* Amar a Dios y poseerle es todo uno.

  Amado Nervo (mexicano)

* Amigos míos, Dios me es necesario, porque es el único ser que puede amar eternamente.

  Dostoievski

* Todo cuanto me muestra a Dios en mi interior, me fortalece. Todo cuanto me lo muestra fuera de mí, me debilita.

  Emerson

* Dios es el maestro y enmendador de los sabios.

  Fray Luis de Granada

* El que no se humilla y engrandece a un tiempo ante la idea de Dios, no es bueno.

  Isabel la Católica

* Dios existe para complementar nuestro ser, para darnos certeza de nuestro ser.

  Margarita Michelena (mexicana)

* Para llegar a Dios hay que subir; pero la paradoja consiste en que el secreto para subir es bajar.

  Luis María Martínez (mexicano)

* Dios es el comienzo, el medio y el fin.

Platón

* Nunca el justo se halla solo, porque siempre tiene a Dios presente.

Quevedo

* Si Dios no existiera, sería necesario inventarlo.

Voltaire

* Sólo la luz divina es necesaria.

Molière

* Quien prefiere el paraíso a Dios es un necio.

Mahoma

* Ninguna alma necesita de otra; nadie, ni hombre ni mujer, necesita más que de Dios.

José Vasconcelos (mexicano)

* ~~Dios no existe, la naturaleza se rige por sí misma.~~

Ignacio Manuel Altamirano (mexicano)

* El hombre propone y Dios dispone.

Ariosto

* Dios es paciente, porque es eterno.

San Agustín

* La existencia de Dios es más cierta que todos los teoremas de la geometría.

Descartes

* Dios es la más inspiradora maravilla y divina idea entre todas las ideas.

Crane

* Si Dios está con nosotros, ¿quién podrá contra nosotros?

San Pablo

* Es más santo y reverente creer en las obras de Dios, que profundizar en ellas.

Tácito

* Dios nos ha dado alas para volar hacia él: el amor y la razón.

  Platón

* Dios está mirando siempre al hombre, aunque el hombre, para pecar, cierre los ojos para no ver a Dios.

  C. Fernández

* Dios existe en el hombre, no existe fuera del hombre.

  José Revueltas (mexicano)

* La fe consiste en la adhesión del entendimiento a las verdades reveladas por Dios.

  Alfonso Junco (mexicano)

* No hay cosa más cerca ni más lejos, más encubierta y más descubierta que Dios.

  Fray Luis de León

* Si Dios es bueno, no es el autor de todas las cosas, sino sólo de unas cuantas y no de la mayor parte de las que ocurren al hombre.

  Platón

* No hay nada que Dios no pueda realizar.

  Cicerón

* La Naturaleza, el destino, la suerte; todo esto no son más que nombres del mismo Dios.

  Séneca

* Dios nunca se arrepiente de sus primeras decisiones.

  Séneca

* La razón me dice que Dios existe, pero también me dice que nunca podré saber lo que es.

  Voltaire

* Si yo hubiera creído en un Dios de recompensas y castigos, puede que hubiera perdido el ánimo en las batallas.

  Napoleón

DOLOR

* Cuando el dolor es insoportable nos destruye, si no nos destruye, es que es soportable.

  Marco Aurelio

* El dolor más intolerable es el producido por la prolongación del placer más intenso.

  Bernard Shaw

* El hombre, el más valeroso de los animales y el más habituado al sufrimiento, no repudia el sufrimiento en sí; lo quiere y hasta lo busca a condición de poder encontrarle un sentido, un objeto.

  Nietzsche

* El que predica paciencia nunca ha conocido el dolor.

  H. C. Bohn

* Hace falta más valor para sufrir que para morir.

  Napoleón

* La preponderancia del dolor sobre el placer, es la causa de nuestra moral y de nuestra religión ficticias.

  Nietzsche

* No hay mayor dolor que acordarse en la miseria del tiempo feliz.

  Dante

* No hay memoria a quien el tiempo no acabe, ni dolor que muerte no le consuma.

Cervantes

* No hay placer que no tenga por límite el dolor, que con ser el día la cosa más hermosa y agradable, tiene por fin la noche.

Lope de Vega

* Quien sabe del dolor, todo lo sabe.

Dante

* El dolor ennoblece incluso a las personas más vulgares.

Balzac

* El dolor, si grave, es breve; si largo, es leve.

Cicerón

* Las personas dichosas no conocen gran cosa de la vida; el dolor es el gran maestro de los hombres.

Anatole France

* La pena no acaba la vida, la costumbre de padecerla la hace fácil.

Cervantes

* Mejor es que duela el cuerpo, no el alma.

Quevedo

* El dolor es como las nubes; cuando estamos dentro de él sólo vemos gris, tedioso y trágico; pero en cuanto se aleja y lo dora el sol del recuerdo, ya es gloria, transfiguración y majestad.

Amado Nervo (mexicano)

* El verdadero dolor es el que se sufre sin testigos.

Marcial

* El dolor más espantoso es el que vela frío y paralítico en el fondo del corazón.

George Sand

* Los dolores vuelven a estado de niño a los hombres.

Quevedo

* El hombre que no conoce el dolor, no conoce ni la ternura de la humanidad ni la dulzura de la conmiseración.

Rousseau

* La vida es un círculo de dolores.

Voltaire

* Los dolores leves son parleros, los grandes enmudecen estupefactos.

Séneca

* Dad la palabra al dolor; el dolor que no habla gime en el corazón hasta que lo rompe.

Shakespeare

DUDA

* La credulidad es el atributo de los ignorantes; la decidida credulidad el de los sabios a medias; pero la duda metódica es de los hombres instruidos.

  Camus

* La solución de una duda, es descubrimiento de la verdad.

  Aristóteles

* La duda es la escuela de la verdad.

  Bacon

* Sin la duda no hay progreso.

  Darwin

* Los grandes conocimientos engrandan las grandes dudas.

  Aristóteles

* La duda es la madre de la invención.

  Galileo

* La duda es la fiel servidora del sentido común.

  José Vasconcelos (mexicano)

* Piensa bien antes de comenzar; pero cuando te has decidido, no interpongas la duda.

  Salustio

* La duda es el principio de la sabiduría.

  Aristóteles

EDUCACIÓN

* La educación es la preparación a la vida completa.

Spencer

* No se pueden moldear los hijos conforme a las ideas de los padres. Hay que tomarlos como Dios los da, amarlos y educarlos lo mejor posible, sin torcer su inclinación.

Goethe

* No os precipitéis en acumular riquezas, si descuidáis la educación de vuestros hijos a quien debéis dejárselas.

Isócrates

* La educación es la base de la felicidad de las naciones, de las familias y de los individuos: la educación hace buenos padres, buenos hijos y buenos ciudadanos.

Francisco Zarco (mexicano)

* Educar quiere decir fortificar.

Justo Sierra (mexicano)

* El hombre que hace que las cosas difíciles parezcan fáciles, es el educador.

Emerson

* La educación es el fundamento verdadero de la felicidad.

Simón Bolívar

* Una buena educación es el manantial y la raíz de una vida virtuosa.

Plutarco

* La educación es el desarrollo en el hombre de toda la perfección de que su Naturaleza es capaz.

Kant

* No se puede enseñar a leer sin dar qué leer.

José Vasconcelos (mexicano)

* La instrucción es la base de la prosperidad de un pueblo.

Benito Juárez (mexicano)

* Dos tipos de conocimientos principales dan a los niños en la escuela: los que olvidan y los inútiles.

Nikito Nipongo (mexicano)

* Desarrollar en los niños la imaginación, destruyendo la superstición. Sembrar en el buen terreno virgen ideas útiles para la vida que viene, granos prácticos; pero regarlos con una lluvia clara y fresca de poesía, de la necesaria poesía, hermana del sol y complemento del pan.

Rubén Darío

* Hay ciertas cosas que para saberlas bien no basta haberlas aprendido.

Séneca

* Educad a los niños y no será necesario castigar a los hombres.

Pitágoras

* La educación es una segunda existencia dada al hombre; es la vida moral, tan apreciable como la vida física.

Saint-Simon

* Muchas lecciones de las universidades son inútiles, pero las de la vida y las del dolor son siempre fecundas.

Rodolfo Reyes (mexicano)

* El adulto, al educar al niño lo llena de trampas. Le castra su imaginación. Lo incorpora a una sociedad convencionalmente sana.

Jaime Augusto Shelley (mexicano)

* Hay maestros que imparten su ignorancia.

Marco Antonio Almazán (mexicano)

* Instruir como se debe a la juventud, es formar buenos ciudadanos y padres de familia.

Virgilio

* Sólo las personas que han recibido educación son libres.

Epicteto

* La instrucción desarrolla en nosotros el germen de los talentos y los sabios principios nos fortifican en el amor a la virtud.

Horacio

* La educación empieza con la vida y no acaba sino con la muerte.

José Martí

* Siempre he creído que si se reformase la educación de la juventud, se conseguiría reformar el linaje humano.

Leibniz

* Corrige a tu hijo y te dará descanso y proporcionará delicias a tu alma.

La Biblia, Libro de los Proverbios

* El hombre debe educarse para el bien.

Alfonso Reyes (mexicano)

* ¡Ay del discípulo que no supere a su maestro!

Alfonso Toro (mexicano)

* Hay muchos que estudian para ignorar.

Sor Juana Inés de la Cruz (mexicana)

* Con el conocimiento sucede como con el sol, que ilumina todo, menos el corazón.

Bernardo J. Gastélum (mexicano)

* La educación es el más poderoso auxiliar de la Naturaleza.

Bottach

* Estudiar, mas no para saber más, sino para saber mejor que los otros.

Séneca

* El premio más noble de la ciencia consiste en el placer de ilustrar la ignorancia.

Saint-Pierre

* La más importante parte de la educación de un hombre es la que se da a sí mismo.

Gibbón

* La educación es la mejor defensa de las naciones.

Burke

* Todos somos maestros de buena o mala conducta.

Juan José Arreola (mexicano)

* Quien oye y aprende, es mucha razón que atienda y calle.

Sor Juana Inés de la Cruz (mexicana)

* Si quieres que tus hijos lleven una vida tranquila y segura, edúcalos con un poco de hambre y un poco de frío.

Proverbio chino

* La educación nos inculca desde el nacimiento un repertorio de emociones ya hechas; no sólo lo que nos es permitido y lo que no nos es permitido sentir, sino la manera cómo se han de sentir las pocas emociones que nos son permitidas.

D. H. Lawrence

* Un hombre educado es el que tiene los amores y los odios justos.

Lin Yutang

EGOÍSMO

* Nada quiero porque quiero todo.

Antonieta Rivas Mercado (mexicana)

* Egoísmo bien entendido, es filantropía bien practicada.

José María Vigil

* El egoísmo social es un comienzo de sepulcro.

Víctor Hugo

* El egoísta tiene su corazón en la cabeza.

Ovidio

* No hay hombre que no anteponga la satisfacción propia a sus obligaciones.

Quevedo

* El no ser bueno más que para sí, es no ser bueno para nada.

Voltaire

* El amor, según el mundo lo entiende, no es amor; es un egoísmo exaltado; es amarse uno en otro.

Stendhal

* El egoísmo no es más que el medio de convertirlo todo en utilidad propia.

La Bruyère

* El egoísta se ama a sí mismo sin rivales.

Cicerón

* Los hombres olvidan antes la muerte de su padre que la pérdida del patrimonio.

Maquiavelo

* No olvides nunca que los demás cuentan contigo y que tú no puedes contar con ellos.

Alejandro Dumas, hijo

* Siempre el hombre quiere, para lo general, lo justo; pero en lo personal es egoísta.

Schiller

* Las malas pasiones y el egoísmo, de donde nacen todas, arman a los hermanos contra los hermanos.

Shakespeare

* El único egoísta que me place es el que dice: "no hay madre como mi madre, ni hija como mi hija, ni patria como mi patria".

Antonio de Trueba

* La ingratitud no descorazona a la verdadera caridad, pero sirve de pretexto al egoísmo.

Levis

* Conviene que haya egoístas para hacer resaltar las abnegaciones.

Madame Adville

* El egoísmo es la esencia misma de un alma noble.

Nietzsche

* Más daño produce en el mundo el egoísmo que la maldad.

J. Ma. Tallada

* Nada es más para mí que yo mismo.

Max Stirner

* Nadie se ama a sí mismo demasiado poco.

Benjamín Wichcote

* Preferimos hablar mal de nosotros mismos a no decir nada de nosotros.

La Rochefoucauld

* Todos los hombres se aman a sí mismos.

Plauto

ENVIDIA

* A menudo hacemos ostentación de nuestras pasiones, incluso de las más criminales; pero la envidia es una pasión tímida y vergonzosa que nunca nos atrevemos a confesar.

La Rochefoucauld

* Ante un hombre envidioso, alabo siempre a los que le hacen palidecer.

Montesquieu

* El envidioso puede morir, pero la envidia, nunca.

Molière

* La envidia es el adversario de los afortunados.

Epicteto

* La envidia es mil veces más terrible que el hambre, porque es hambre espiritual.

Miguel de Unamuno

* La envidia es más irreconocible que el odio.

La Rochefoucauld

* La envidia hace muecas, no se ríe.

Lord Byron

* La envidia sólo es vencida por la muerte.

Horacio

* La envidia y el odio van siempre unidos. Se fortalecen recíprocamente por el hecho de perseguir el mismo objeto.

La Bruyère

* La envidia, el más mezquino de los vicios, se arrastra por el suelo como serpiente.

Ovidio

* La verdadera prueba de que se ha nacido con grandes cualidades estriba en haber nacido sin envidia.

La Rochefoucauld

* Los que no son envidiados nunca son completamente felices.

Esquilo

* No envidies la riqueza del prójimo.

Homero

* Nuestra envidia sobrevive siempre a la felicidad de aquellos a quienes envidiamos.

La Rochefoucauld

* Pocos hombres tienen la fuerza de carácter suficiente para alejarse del éxito de un amigo sin sentir cierta envidia.

Esquilo

* Todos los tiranos de Sicilia no han inventado nunca un tormento mayor que la envidia.

Horacio

* Mejor ser envidiado que provocar piedad.

Herodoto

* Proporcionalmente al número de los admiradores crece el de los envidiosos.

Séneca

* La envidia es natural al hombre y sin embargo, es un vicio y una desgracia a la vez. Debemos considerarla como un enemigo de nuestra felicidad y procurar sofocarla como a un mal demonio.

Schopenhauer

* Nadie es realmente digno de envidia.

Schopenhauer

* La envidia daña al mismo envidioso.

Voltaire

* Quien dice que no es dichoso, podría serlo por la dicha de su prójimo si la envidia no le quitara este último recurso.

La Bruyère

* El envidioso enflaquece de lo que a otros engorda.

Horacio

* La envidia es la polilla del talento.

Campoamor

* La envidia es sólo vicio del hombre, del que no participan los animales brutos.

Plutarco

* La envidia es el gusano roedor del mérito y de la gloria.

Bacon

* La envidia asesta sus tiros a las cosas más grandes.

Ovidio

* Donde reina la envidia no puede vivir la virtud, ni donde hay escasez, la libertad.

Cervantes

ERROR

---

* Miseria grande es perderse uno con falsedad y con verdad no poderse desengañar.

  Quevedo

* Un hombre que comete un error y no lo corrige, está cometiendo otro error.

  Confucio

* ¿Cuántas veces de un error siempre se empieza?

  Cervantes

* Muy pocos aciertan antes de errar.

  Séneca

* Un error es tanto más peligroso cuanto mayor sea la cantidad de verdad que contenga.

  Amiel

* La vergüenza de confesar el primer error, hace cometer muchos otros.

  La Fontaine

* De los hombres es errar y bestial es porfiar.

  Fernando de Rojas

* Humano es errar; pero sólo los estúpidos perseveran en el error.

Cicerón

* Conviene matar el error, pero salvar a los que van errados.

San Agustín

ESCLAVITUD

* No hay privilegio ni abolengos, porque no es racional, ni humano, ni debido que haya esclavos, pues el color de la cara no cambia el del corazón ni el del pensamiento.

    José María Morelos (mexicano)

* El esclavo es una máquina sin alma.

    Aristóteles

* Aquel que somete a los hombres, ya está sometido a las cosas.

    Epicteto

* El hombre ha nacido libre y por doquiera se encuentra sujeto con cadenas.

    Rousseau

* Nadie es más esclavo que el que se tiene por libre sin serlo.

    Goethe

* Es un esclavo perpetuo el que no sabe vivir un poco.

    Horacio

* La esclavitud es la sujeción de un espíritu débil y cobarde que no es dueño de su voluntad.

    Cicerón

* No interrumpáis el sueño de un esclavo. Quién sabe si mientras duerme sueña que es libre.

Walter Scott

* La esclavitud es la hija de las tinieblas; un pueblo ignorante es un instrumento ciego de su propia destrucción.

Simón Bolívar

* El esclavo pierde la mitad de su alma desde el día que cae en la servidumbre.

Homero

* Cada amigo es el eslabón de una cadena. El hombre de sociedad es el más lamentable esclavo moderno.

Amado Nervo (mexicano)

ESPERANZA

* Es fácil ser feliz y estar contento cuando la vida suave se desliza como una melodía; pero el hombre que vale, es el que afronta, cuando todo va mal, el sufrimiento y tiene una sonrisa todavía.
    Luis Cabrera (mexicano)

* Téngase esperanza de lo que se desea y con eso súfrase lo que sucediere.
    Quevedo

* La esperanza siempre nace con el amor.
    Cervantes

* El que vive de esperanzas, muere de sentimiento.
    Franklin

* La esperanza es el sueño del hombre despierto.
    Aristóteles

* La esperanza es un buen desayuno, pero una mala cena.
    Bacon

* No neguemos nada; no afirmemos nada; esperemos.
    Schopenhauer

* La esperanza tiene tanto de mérito cuanto de paciencia.
    Lope de Vega

* La esperanza es una cadena que ata todos nuestros placeres.

Montesquieu

* Esperar lo inesperado, es señal de un espíritu profundamente moderno.

Oscar Wilde

* La esperanza es el pan del pobre.

George Herbert

* En algún lugar podría quedar alguna esperanza.

Juan Rulfo (mexicano)

* El sueño y la esperanza son dos calmantes que concede la Naturaleza al hombre.

Federico II

* Más vale buena esperanza que ruin posesión.

Cervantes

* Basta la más pequeña partícula de esperanza para engrandar un gran amor.

Stendhal

* Algo había muerto en cada uno de nosotros y lo que había muerto era la esperanza.

Oscar Wilde

* La esperanza es el peor de los males, pues prolonga el tormento del hombre.

Nietzsche

* La esperanza es una virtud cristiana que consiste en despreciar todas las miserables cosas de este mundo en espera de disfrutar, en un país desconocido, deleites ignorados que los curas nos prometen a cambio de nuestro dinero.

Voltaire

* Mientras hay vida hay esperanza.

Proverbio español

ESPÍRITU

* En las regiones del espíritu no tiene límites el descubrimiento de nuevos mundos.

  José Vasconcelos (mexicano)

* Hay espíritus que enturbian sus aguas para hacerlas parecer profundas.

  Nietzsche

* Los cuartos o habitaciones pequeñas concentran el espíritu; los grandes, lo dispersan.

  Leonardo da Vinci

* No domina a sus semejantes sino el que ha dominado dentro de su propio espíritu las pasiones.

  Jesús Urueta (mexicano)

* Sólo el espíritu puro conoce la alegría.

  José Vasconcelos (mexicano)

* Cuando todo lo que entendemos de mortal esté revestido de inmortalidad, sentiremos mejor la dignidad de nuestra alma y la eminencia de sus cualidades; sabremos entonces lo que es un espíritu.

  Rubén Darío

* Es insoportable el espíritu militar en el mando civil.

Simón Bolívar

* El espíritu del hombre soporta su enfermedad; mas al espíritu abatido, ¿quién lo sostendrá?

La Biblia, Libro de los Proverbios

* El espíritu humano avanza de continuo, pero siempre en línea espiral.

Goethe

* La cultura del espíritu suaviza el carácter, reforma las costumbres.

José María Luis Mora (mexicano)

* El universo de las cosas se halla contenido en el universo del espíritu.

Bernardo J. Gastélum (mexicano)

* El espíritu es lo positivo, el hecho lo negativo.

Emerson

* El espíritu es fuerte, pero la carne es débil.

**La Biblia,
Evangelio de San Marcos**

* El corazón y el espíritu son los dos platillos de una balanza. Sumid el espíritu en el estudio y vuestro corazón se elevará al cielo.

Víctor Hugo

* La fuerza del espíritu embebe en sí y arrebata las fuerzas del alma.

Fray Luis de Granada

* Por mi raza hablará el Espíritu.

**Lema de la UNAM creado por
José Vasconcelos (mexicano)**

EXPERIENCIA

* Unos pasando ven, otros viendo pasar.

Quevedo

* Cree en el experto.

Virgilio

* Por más que la naturaleza empiece por la razón y termine en la experiencia, nosotros debemos seguir la marcha contraria; es decir, empezar por la experiencia y con ella investigar la razón.

Leonardo da Vinci

* Una mirada hacia atrás vale más que una mirada hacia adelante.

Arquímides

* Un asno viejo sabe más que un potro.

Quevedo

* Es la experiencia estudio de brutos; para el hombre cuerdo, debe bastar el aviso de lo que sucedió a otros.

Fernando de Rojas

* La experiencia es el nombre que los hombres dan a sus errores.

Oscar Wilde

* Los años enseñan muchas cosas que los días desconocen.

Emerson

* La experiencia es un billete de lotería comprado después del sorteo. No creo en ella.

Gabriela Mistral

* Más sabe el diablo por viejo que por diablo.

Anónimo

* Su experiencia, como tantas veces sucede, le hizo desconocer la verdad.

Anatole France

* Cuando se te presentan muchos caminos, elige siempre el más recto, que al mismo tiempo es el más corto y seguro; la experiencia y la verdad te lo indicarán.

Marco Aurelio

* Gran parte de las experiencias que he hecho sobre mí mismo las hice observando las particularidades de los demás.

Hebbel

* Muchas veces, cuando creemos estar realizando una experiencia sobre los demás, la estamos verificando sobre nosotros mismos.

Oscar Wilde

FAMILIA

IMP * A mi juicio, la buena o mala conducta futura de un niño depende completamente de la madre.

Napoleón

* Aquel que tiene esposa e hijos ha entregado rehenes a la fortuna, pues aquéllos constituyen una traba para las grandes empresas.

Bacon

* Casa a tu hijo cuando quieras y a tu hija cuando puedas.

George Herbert

* El hogar es una cárcel para la muchacha y un taller para la mujer.

Bernard Shaw

* El héroe no tiene siempre hijos heroicos y todavía es menos probable que lo sean sus nietos.

Emerson

* El que se casa con una viuda que tiene dos hijas, se casa con tres ladrones.

George Herbert

* El que tiene suerte, encuentra en el yerno un hijo; el que no la tiene, pierde una hija.

Epicteto

* Es horrible verse morir sin dejar hijos.

Napoleón

* Es una gran felicidad ver a nuestros hijos alrededor de nosotros; pero de esta buena fortuna nacen las mayores amarguras del hombre.

Esquilo

* Hay padres tan antinaturales que toda su vida parece estar consagrada a dar motivos a sus hijos para que se consuelen de su muerte.

La Bruyère

* Las madres adoran más a sus hijos que los padres, porque recuerdan el dolor con el que los han traído al mundo y están más seguras de que son suyos.

Aristóteles

* Lo que cuesta mantener un vicio bastaría para criar dos hijos.

Benjamín Franklin

* Los hijos de los personajes más notables y renombrados suelen resultar calamitosos para la comunidad.

Erasmo

* Los hijos empiezan por amar a sus padres; pasado algún tiempo, los juzgan; rara vez los perdonan.

Oscar Wilde

* Los hijos son siempre desagradecidos.

Napoleón

* Los hijos son un tormento y no otra cosa.

Tolstoi

* Los hijos tardíos son huérfanos pronto.

Benjamín Franklin

* No estés mucho tiempo lejos del hogar.

Homero

* Los hombres son lo que sus madres les hacen.

Emerson

* Los padres no deben ser vistos ni oídos; esta es la única base acertada para la vida familiar.

Oscar Wilde

* Los que no tienen hijos se libran de muchos sufrimientos.

Eurípides

* Mi madre dice que él es mi padre; pero yo no lo sé, pues ningún hombre puede saber quien fue su padre.

Homero

* No hay nada más querido para un anciano padre que una hija.

Eurípides

* No te fíes nunca del esplendor de la mañana ni de la sonrisa de tu suegra.

Proverbio japonés

* ¿Qué adorno más grande puede haber para un hijo que la gloria de su padre, o para un padre que la conducta honrosa de su hijo?

Sófocles

* ¿Qué mayor dolor puede haber para los mortales que ver muertos a sus hijos?

Eurípides

* Señor, yo soy un hombre pacífico, manso, sosegado y sé disimular cualquier injuria porque tengo mujer e hijos que sustentar y criar.

Cervantes

* Todas las familias felices se asemejan, pero las desgraciadas lo son de distinta manera.

Tolstoi

* Un hijo puede llevar con resignación la pérdida de su padre, pero la pérdida de su patrimonio puede reducirle a la desesperación.

Maquiavelo

* Un necio sabe más en su propia casa que un hombre sabio en la ajena.

George Herbert

* El amor a la patria empieza en la familia.

Bacon

* La paz y la armonía constituyen la mayor riqueza de una familia.

Benjamín Franklin

* La familia es más sagrada que el Estado.

Pío XI

* Las riñas entre parientes son las más violentas.

Tácito

* En el Estado puede gobernar más de uno; pero en la familia, uno solo.

Aristóteles

* Pocos hombres son llamados para gobernar ciudades o imperios; pero cada cual está obligado a gobernar sabia y prudentemente su familia y su casa.

Plutarco

* Escucha a tu padre que te engendró y no menosprecies a tu madre cuando envejeciere.

La Biblia, Libro de los Proverbios

* La familia es el espejo de la sociedad.

Víctor Hugo

* La familia virtuosa es una nave que durante la tempestad está sujetada por dos anclas, la religión y las costumbres.

Montesquieu

* El hermano que ayuda al hermano construye casi una fuerte ciudad.

Salomón

* Los hijos quizá serían más amados de sus padres y recíprocamente éstos de aquellos, si no existiese la palabra heredero.

La Bruyère

FE

---

* La fe consiste en creer lo que no vemos y la recompensa es ver lo que creemos.

San Agustín

* En los negocios de la vida no es la fe lo que salva, sino la desconfianza.

Napoleón

* Los sistemas ejercitan el entendimiento, pero la fe lo ilumina y lo guía.

Voltaire

* Más verdad dice la fe que los ojos.

Quevedo

* Cree que lo tienes y lo tendrás.

Erasmo

* Puedo creer cualquier cosa, con tal que sea creíble.

Oscar Wilde

* Nunca se cansa el que confía.

Quevedo

* La fe consiste en aceptar las afirmaciones del alma y la ausencia de fe, en negarlas.

Emerson

* Fe es la fuerza de la vida.

Tolstoi

* Es, pues, la fe la sustancia de las cosas que se esperan; la demostración de las cosas que no se ven.

San Pablo

* Deja lo que sigue a los dioses.

Horacio

* Así como la calidad del amarillo oro se prueba sólo en el fuego, así la fe se prueba únicamente en el tiempo de adversidad.

Ovidio

* El hombre puede creer lo imposible, pero jamás creerá lo improbable.

Oscar Wilde

* En los asuntos de este mundo, los hombres se salvan, no por la fe, sino por la falta de ella.

Benjamín Franklin

* La fe es como el amor; no puede ser impuesta por la fuerza.

Schopenhauer

* La fe se refiere a cosas que no se ven y la esperanza, a cosas que no están al alcance de la mano.

Santo Tomás de Aquino

* La manera de ver según la ves es cerrar los ojos de la razón.

Benjamín Franklin

* Suspirar por una fe sólida no es la prueba de un convencimiento sólido, sino todo lo contrario. El hombre que tiene una fe verdaderamente fuerte puede permitirse el lujo del escepticismo.

Nietzsche

FELICIDAD

* El hombre nunca es feliz, pero se pasa toda la vida corriendo en pos de algo que cree ha de hacerle feliz. Rara vez alcanza su objetivo y cuando lo logra solamente consigue verse desilusionado.

  Schopenhauer

* El placer es la única cosa por la que se debe vivir. Nada envejece como la felicidad.

  Oscar Wilde

* Es una especie de felicidad saber hasta qué punto podemos ser desgraciados.

  La Rochefoucauld

* La felicidad es, al mismo tiempo, la mejor, la más noble y la más placentera de todas las cosas.

  Aristóteles

* La felicidad interrumpida aburre; debe tener alternativas.

  Molière

* La felicidad o la desgracia de los hombres depende no menos de sus cualidades que de su fortuna.

  La Rochefoucauld

* La felicidad se halla compartida mucho más equivalentemente de lo que imaginamos.

C. C. Colton

* La vida real del hombre es feliz, principalmente porque siempre está esperando que ha de serlo pronto.

Edgar Allan Poe

* Nadie es feliz durante toda su vida.

Eurípides

* No son la riqueza ni el esplendor, sino la tranquilidad y el trabajo los que proporcionan la felicidad.

Thomas Jefferson

* ¡Oh, qué amargo es contemplar la felicidad a través de los ojos ajenos!

Shakespeare

* Ponemos más interés en hacer creer a los demás que somos felices que en tratar de serlo.

La Rochefoucauld

* Sería muy poco feliz si pudiera decir hasta qué punto lo soy.

Shakespeare

* Si la felicidad de la masa del género humano puede asegurarse a costa de un pequeña tempestad de vez en cuando, o incluso de un poco de sangre, sería una adquisición preciosa.

Thomas Jefferson

* Si tus órganos están sanos, todas las riquezas de un rey no aumentarán en nada tu felicidad.

Horacio

* Todos los hombres tienen la misma parte de la felicidad.

Napoleón

* Encuentra la felicidad en tu trabajo o nunca serás feliz.

Colón

* Felicidad no es necesitar de ella.

  Séneca

* Nuestro instinto nos hace sentir que debemos buscar la felicidad fuera de nosotros.

  Pascal

* Del mismo modo que no tenemos derecho a consumir riqueza sin producirla, tampoco lo tenemos de consumir felicidad sin producirla.

  Bernard Shaw

* Si el hombre no quisiera otra cosa que ser feliz lo lograría fácilmente; pero quiere ser más feliz que los otros y esto es ya muy difícil, porque cree que los otros son más felices de lo que realmente son.

  Montesquieu

* La vida feliz y dichosa es el objeto único de toda la filosofía.

  Cicerón

* Las cuatro condiciones elementales de la dicha son: la vida al aire libre, el amor de una mujer, la ausencia de toda ambición y la creación de un nuevo y bello ideal.

  Edgar Allan Poe

* La felicidad es gratitud por el presente, gozo por el pasado y fe en el futuro.

  Proverbio inglés

* No hables de tu dicha a un hombre más desgraciado que tú.

  Pitágoras

* La felicidad deja de ser tal para el que la goza solo.

  Bottach

* Si una muchacha no es feliz en sí misma, no será feliz en ninguna parte.

  Bernard Shaw

* Ser feliz, bien obrar y vivir bien, son una sola misma cosa.

  Aristóteles

* Casi todas las personas son tan felices como se deciden a serlo.

  Lincoln

* Mientras una mujer pueda parecer diez años más joven que su hija, es completamente feliz.

  Oscar Wilde

* La felicidad consiste principalmente en conformarse con la suerte; en querer ser lo que uno es.

  Erasmo

* La felicidad es para aquellos que se bastan a sí mismos.

  Aristóteles

* Acuérdate también de esto siempre: para vivir felizmente basta con muy poco.

  Marco Aurelio

* La felicidad es como las neblinas ligeras, cuando estamos dentro de ella no la vemos.

  Amado Nervo (mexicano)

* No hay más que un modo de ser felices: vivir para los demás.

  Tolstoi

* El secreto de la felicidad no es hacer siempre lo que se quiere, sino querer hacer siempre lo que se hace.

  Tolstoi

FILOSOFÍA

* En un mundo de sabelotodos y de "técnicos" el filósofo es el hombre de la ignorancia. Cuando todo el mundo sabe, el filósofo ignora. Y cuando todo el mundo ignora, el filósofo sabe porque ignora mejor que los demás.

   Jorge Portilla (mexicano)

* La filosofía integra la ciencia y el arte en una intuición universal.

   José Romano Muñoz (mexicano)

* La filosofía es la explicación de la existencia.

   Antonio Caso (mexicano)

* La historia de las ideas filosóficas es la historia de hombres de carne y hueso en lucha con sus circunstancias. Lo más abstracto de las ideas oculta siempre actitudes vitales concretas.

   Leopoldo Zea (mexicano)

* La filosofía es noble y erudito reposo, consuelo en las tribulaciones, útil y suave solaz en las vicisitudes de la vida.

   Francisco Javier Clavijero (mexicano)

* Todas las filosofías de los hombres de ciencia no valen nada ante la acción desinteresada de un hombre de bien.

   Antonio Caso (mexicano)

FORTUNA

* Desde luego que la mala suerte existe. Pero Dios la reparte nada más entre los tarugos.

  Alvaro Obregón (mexicano)

* La fortuna no cambia a los hombres; solamente les quita la máscara.

  Alfonso Teja Zabre (mexicano)

* Más contraria es la fortuna al hombre que no le deja gozar lo que tiene, que al que le niega lo que le pide.

  Platón

* Da Dios habas al que no tiene quijadas.

  Fernando de Rojas

* Unos nacen con estrella y otros estrellados.

  Dicho popular

* La fortuna, en verdad, ayuda a aquellos que tienen buen juicio.

  Eurípides

* Cuando la fortuna viene, tómala a mansalva y por delante, pues por detrás es calva.

  Leonardo da Vinci

* El camino de la fortuna depende de estas tres palabras: trabajo, orden y economía.

  Benjamín Franklin

* Es necesario seguir los caprichos de la fortuna y corregirla cuando se pueda.

Napoleón

* La fortuna se parece a un mercado, basta esperar para que baje el precio.

Bacon

* La fortuna y no la sabiduría, es quien gobierna la vida humana.

Cicerón

* La fortuna es como un vestido, que muy holgado nos embaraza y muy estrecho nos oprime.

Horacio

* El que no sabe gozar de la ventura cuando le viene, no se debe quejar si se le pasa.

Cervantes

* La fortuna teme a los valientes y avasalla a los cobardes.

Séneca

* Cada uno es artífice de su fortuna.

Quevedo

* La fortuna no sólo es ciega, sino que ofusca y ciega también a sus favorecidos.

Cicerón

* La fortuna ayuda a los audaces.

Virgilio

* Por muy elevado que la fortuna haya puesto a un hombre, siempre ha necesitado un amigo.

Séneca

GENEROSIDAD

---

* El hombre es a veces más generoso cuando tiene poco dinero que cuando tiene mucho, quizá por temor a descubrir su escasa fortuna.

  Benjamín Franklin

* La generosidad consiste menos en dar mucho que en dar a tiempo.

  La Bruyère

* La humanidad es la virtud de la mujer; la generosidad del hombre. El bello sexo, que posee mayor ternura que el nuestro, rara vez tiene tanta generosidad.

  Adam Smith

* Lo que llamamos generosidad, solamente suele ser la vanidad de dar; nos hace disfrutar más la vanidad que la cosa dada.

  La Rochefoucauld

* De todas las variedades de virtud, la generosidad es la más estimada.

  Aristóteles

* Si la generosidad tuviera ojos en la espalda, el hombre no sería víctima jamás de su corazón.

  Shakespeare

* Dondequiera que hay un hombre, hay ocasión de hacer un beneficio.

Séneca

* No es mucho que a quien te da la gallina entera, tú le des una pierna de ella.

Cervantes

* Es dichoso solamente quien puede dar.

Goethe

* Nacer generosamente es heredar; vivir generosamente, aquello es ser.

Quevedo

* Los elogios no colocan a un hombre a cubierto de sus necesidades; hay que agregar algo más positivo y la mejor manera de elogiar es abriendo la mano.

Molière

* Son más preciosos los dones que el distribuidor aprecia más.

Ovidio

GENIO

* El talento es una magistratura; el genio es un sacerdocio.

  Víctor Hugo

* Hacer con facilidad lo que es difícil a los demás, este es el ingenio; hacer lo que es imposible a las personas de ingenio, esto es el genio.

  Amiel

* El genio se compone del dos por ciento del talento y noventa y ocho por ciento de perseverante aplicación.

  Beethoven

* Los genios son una dinastía. No hay otra. Ellos llevan todas las coronas, incluso la de espinas.

  Víctor Hugo

* Genio es ser fuerte por naturaleza, estar impelido por un ánimo grande e inspirado cual un espíritu divino.

  Cicerón

* No hay criatura más triste ni más repugnante que el hombre que ha escapado a su genio.

  Nietzsche

* Lo que en el genio es intuición, es el instinto de la masa.

  Hebbel

* El genio es uno por ciento de inspiración y noventa y nueve por ciento de perspiración.

Tomás Alba Edison

* El público es maravillosamente tolerante. Todo lo perdona menos el genio.

Oscar Wilde

* Entre el genio y el talento existe la proporción del todo con la parte.

La Bruyère

* Lo que el mundo llama genio es el estado de enfermedad mental que nace del predominio indebido de alguna de las facultades. Las obras de los genios nunca son sanas en sí mismas y reflejan siempre la demencia mental general.

Edgar Allan Poe

* Los genios son una materia explosiva en la que se halla acumulada una cantidad inmensa de potencia. Se deben a que durante largos siglos ha ido reuniéndose y atesorándose la energía para su uso sin que tuviera lugar ninguna explosión.

Nietzsche

* No existe ningún gran genio sin un toque de demencia.

Séneca

GLORIA

* No os preocupéis de la gente que os conoce, pero esforzaos en haceros dignos de ser conocidos.

   Confucio

* La gloria es el mayor estímulo para vencer.

   Tito Livio

* La tierra entera es el mausoleo de los hombres ilustres.

   Pericles

* El aprecio de nuestros contemporáneos es un bien más real que la admiración de la posteridad.

   Napoleón

* Una buena reputación es un segundo patrimonio.

   Publio Siro

* La carrera de la vida es breve; la de la gloria, eterna.

   Cicerón

* La gloria marcha por un camino tan estrecho que sólo puede ir con un hombre al frente.

   Shakespeare

* Más vale el buen nombre que las muchas riquezas.

   Cervantes

* Morir es el destino común de los hombres; morir con gloria es el privilegio del hombre virtuoso.

   Isócrates

* La gloria, como el sol, parece cálida y luminosa a distancia, pero si nos acercamos a ella, es fría como la cumbre de una montaña.
  Balzac

* El que no apetece el aprecio de sus conciudadanos es indigno de él.
  Federico el Grande

* La muerte es la consagración del genio, y la gloria el sol de los muertos.
  Balzac

* Aunque pierdas todas las cosas, acuérdate de reservar la fama.
  Quevedo

* El camino para la gloria es trabajar por ser tal como uno quiera ser juzgado.
  Sócrates

* La gloria de los hombres debe medirse siempre por los medios que emplearon para lograrla.
  La Rochefoucauld

* La gloria sigue tan infatigablemente al mérito, como la sombra sigue al cuerpo, aunque marcha, como la sombra, ora adelante, ora detrás.
  Séneca

* Exaltamos a los antiguos y miramos con desprecio a los contemporáneos.
  Tácito

* La gloria es el egoísmo divinizado.
  Balzac

* ¿Crees que las cenizas de los muertos se preocupen de los asuntos terrenos?
  Virgilio

* La gloria, como la luz, es más útil a los que sienten sus efectos, que a aquellos que están revestidos por ella.
  Plutarco

* La dulzura de la gloria es tan grande que, sea lo que fuere lo que ella acompaña, aun a la muerte, se le ama.
  Pascal

GOBIERNO

* Ningún hombre tiene derecho de gobernar a otro sin su consentimiento.

Lincoln

* Un gobierno recién nacido debe deslumbrar.

Napoleón

* Todos los gobiernos mueren por la exageración de sus principios.

Aristóteles

* Quien gobierna, mal descansa.

Lope de Vega

* Cuando, en un gobierno, al hablarse de la cosa pública, cada uno dice: "¡Que importa!", la cosa pública está en pérdida.

Montesquieu

* El pueblo tiene el gobierno que se merece.

José de Maistre

* No es digno de mandar a otros hombres aquel que no es mejor que ellos.

Publio Siro

* Todo gobierno tiene por único objeto el bien de los gobernados.

San Agustín

* Los gobiernos tiránicos todo lo corrompen y todo lo falsean.
  Ricardo Flores Magón (mexicano)

* El gobernante que pretende encauzar a su país hacia la democracia tiene que empezar por ser un verdadero demócrata y demostrarlo tolerando la oposición, por más cruda que se ejerza en el mitin, en la prensa, en la diatriba personal.
  Lázaro Cárdenas (mexicano)

* Gobernar equivale a tomar decisiones sobre la marcha.
  Miguel Alemán Valdés (mexicano)

* El gobierno peor es aquel que ejerce la tiranía en nombre de las leyes y de la justicia.
  Montesquieu

* No con decretos, sino con costumbres, se gobierna bien una república.
  Isócrates

* El que no sabe gobernarse a sí, ¿cómo sabrá gobernar a otros?
  Cervantes

* Los pueblos serán felices cuando sean gobernados por hombres prudentes y juiciosos. Todas las ciencias son superiores a la capacidad del vulgo.
  Platón

* No es la manera del gobierno lo que constituye la felicidad de una nación, sino las virtudes de los jueces y de los magistrados.
  Aristóteles

* El buen gobernante en América no es el que sabe cómo se gobierna el alemán o el francés, sino el que sabe con que elementos está hecho su país y cómo puede ir guiándolos en junto, para llegar, por métodos e instituciones nacidas del país mismo, a aquel Estado apetecible, donde cada hombre se conoce

y ejerce y disfrutan todos de la abundancia que la Naturaleza puso para todos en el pueblo que fecundan con su trabajo y defienden con sus vidas.

José Martí

* Lo que es malo en moral, también es malo en política.

Rousseau

* Para que un gobierno administre bien a un pueblo, es preciso que lo conozca, que tenga datos seguros sobre sus necesidades, sus hábitos dominantes, sus tendencias sociales, en una palabra, el carácter de la nación que gobierna.

Francisco Zarco (mexicano)

* Siempre me ha parecido no sólo un atropello, sino principalmente un error del gobierno, toda clase de medidas para evitar que un hombre piense y diga lo que piensa.

Luis Cabrera (mexicano)

* Para gobernar a los otros es preciso gobernarse a sí mismo.

Justo Sierra (mexicano)

* Según los gobiernos son apacibles y justos, más o menos felicidad o virtud tiene el hombre.

Platón

* Cuando el gobernante procede bien, poseerá influencia sobre la gente sin dar órdenes y cuando el gobernante no procede bien, de nada le servirán todas sus órdenes.

Confucio

* El que puede gobernar a una mujer, puede gobernar una nación.

Balzac

* Gobernar quiere decir hacer descontentos.

Anatole France

* El gobierno es bueno cuando hace felices a los gobernados y atrae a los que viven lejos.

Confucio

* Es más fácil dictar leyes que gobernar.

Tolstoi

* Los malos ministros y consejeros sólo tienen dos sentidos libres, que son olfato y manos.

Quevedo

* La corrupción no vive del ambiente, la difunde como peste el mal gobernante.

José Vasconcelos (mexicano)

* El dictador bueno es un animal tan raro, que la nación que posee uno debe prolongarle no sólo el poder sino hasta la vida.

Francisco Bulnes (mexicano)

* Si un gobernante no rectifica su propia conducta, ¿cómo puede rectificar la de otros?

Confucio

* A las repúblicas las acaba el lujo; a las monarquías, la pobreza.

Montesquieu

* Cuando se alza un poder ilegítimo, para legitimarlo basta reconocerlo.

Anatole France

* La moral es la fuerza llamada a gobernar al mundo en la vida moderna.

Alvaro Obregón (mexicano)

* La aparente tranquilidad que produce a veces la tiranía, no es paz, es la quietud de los sepulcros; porque la paz es hija de la libertad, que es la vida, el progreso, el agente divino del perfeccionamiento.

Juan N. Mirafuentes (mexicano)

* Cuando un gobierno dura mucho tiempo se descompone poco a poco y sin notarlo.

Montesquieu

* Cuando un pueblo se ha vuelto incapaz de gobernarse a sí mismo y está en condiciones para someterse a un amo, poco importa de dónde procede éste.

George Washington

* El gobierno es una asociación de hombres que ejercen violencia sobre todos los demás.

Tolstoi

* El hombre sabio no debe abstenerse de participar en el gobierno del Estado, pues es un delito renunciar a ser útil a los necesitados y una cobardía ceder el paso a los indignos.

Epicteto

* El poder nunca es estable cuando es ilimitado.

Tácito

* En un país bien gobernado debe inspirar vergüenza la pobreza. En un país mal gobernado debe inspirar vergüenza la riqueza.

Confucio

* Los hombres, tal como son, se inclinan por naturaleza a ir en pos del dinero o del poder, y del poder porque vale tanto como el dinero.

Emerson

* Que ningún ciudadano se imponga y perpetúe en el ejercicio del poder.

Porfirio Díaz (mexicano)

* Un gobierno es tanto mejor cuanto menos se hace sentir.

Luis Montes de Oca (mexicano)

GRANDEZA

* Hay dos clases de grandeza: una viene de tener un alto puesto; otra de tener una gran personalidad.

    Crane

* Los más grandes hombres han estado caracterizados por un poderoso y absoluto impulso de creación.

    Sinclair

* Nunca la grandeza es absoluta; ni aumenta ni disminuye, sino por comparación. El mismo barco que en un río es un navío, en el mar es sólo una barquilla.

    Séneca

* Los oficios y los grandes cargos no son otra cosa sino un golfo profundo de confusiones.

    Cervantes

* Roma adquirió la grandeza sólo para comprender que la grandeza destruye a las naciones cuyos hombres no son grandes.

    Bernard Shaw

* Ser grande quiere decir ser incomprendido.

    Emerson

* Los grandes hombres no son grandes a todas horas, ni en todas las cosas.

    Federico el Grande

* Los grandes hombres son el índice de la humanidad.

   Hebbel

* La grandeza es sólo una de las sensaciones de pequeñez.

   Bernard Shaw

* Los verdaderos grandes son los de ánimo grande.

   Quevedo

* La verdadera grandeza es la que no necesita de la humillación de los demás.

   Alejandro Dumas, padre

* Los grandes son como el fuego, al que conviene no acercarse mucho ni alejarse de él.

   Diógenes

* El que busca grandeza, alguna vez la encuentra.

   Séneca

* En un alma grande, todo es grande.

   Pascal

* Gran ánimo conviene a gran fortuna.

   Séneca

* No se tengan los reyes por grandes por los estados; que no éstos, sino el ánimo, hace grandes a los hombres.

   Quevedo

* No conozco más grandes hombres que los que han hecho grandes servicios a la humanidad.

   Voltaire

* No es el águila la que chupa la miel de las flores, es la abeja.

   Hebbel

* Hacer alarde de su posición o de su empleo es advertir que no se está sobre él.

   La Rochefoucauld

* Los grandes hombres rara vez son ciudadanos en la elegancia de su vestimenta.

   Charles Dickens

HÁBITO

* Los hábitos contraídos no se corrigen sino con hábitos opuestos.
  Epicteto

* El hábito convierte los placeres suntuosos en imprescindibles necesidades cotidianas.
  A. Huxley

* Todo hábito hace nuestra mano más ingeniosa y nuestro genio más torpe.
  Nietzsche

* La pérdida de nuestras fuerzas es debida más bien a los vicios de la juventud, que a los estragos de los años.
  Cicerón

* El hábito, si no se resiste, al poco tiempo se vuelve una necesidad.
  San Agustín

* Nada hay más fuerte que el hábito.
  Ovidio

* La perfección de las costumbres consiste en vivir cada día como si fuera el último.
  Marco Aurelio

* El hábito es casi una segunda naturaleza.
  Cicerón

* Nadie se atreve a decir adiós a un hábito propio. Muchos suicidas, se han detenido en el umbral de la muerte al solo recuerdo del café donde todas las tardes van a jugar su partida de dominó.

Balzac

* Los hábitos son una segunda naturaleza que destruye a la primera.

Pascal

HABLAR

* Habla para que yo te vea.

Sócrates

* El hombre prefiere hablar mal de sí mismo que no decir nada.

La Rochefoucauld

* Sólo hablan mucho los que hablan mal.

Padre Isla

* Prefiero contraer el hábito de hablar tan pausadamente como se escribe, a escribir tan veloz como se habla.

Pitágoras

* Para saber hablar es preciso saber escuchar.

Plutarco

* Jamás se descubre mejor un hombre que sabe poco, que cuando habla mucho.

Odín

* La Naturaleza nos dio dos orejas y una sola boca para enseñarnos que es preciso oír más que hablar.

Zenón

* El lenguaje es la imagen del alma: cual es la vida, tal es el hablar.

Séneca

* No digas a nadie palabras que le ofendan, que el que dice lo que quiere, oye lo que no quiere.

Santa Teresa

* El que habla, siembra; el que escucha, recoge.

Pitágoras

* Hay gentes que hablan un minuto antes de pensar lo que van a decir.

La Bruyère

* Solamente en dos ocasiones has de hablar: cuando sepas de fijo lo que vas a decir y cuando no lo puedas excusar. Fuera de estos dos casos, es mejor el silencio que la plática.

Isócrates

HÉROE

* Héroe es el hombre inconmoviblemente afirmado en sus principios.

  Emerson

* No se entra héroe en la batalla, sino que se sale héroe.

  Hebbel

* En muchos casos el héroe no es otra cosa que una variedad del asesino.

  Víctor Hugo

* Más hermoso parece soldado muerto en batalla que sano en la huida.

  Cervantes

* La locura es el origen de las hazañas de los héroes.

  Erasmo

* Muchos héroes vivían antes de Agamenón.

  Horacio

* Todo héroe se aburre al final de su carrera.

  Emerson

* El culto al heroísmo es más fuerte donde hay menos libertad de conciencia.

  Herbert Spencer

* No es valor no temer a la muerte y desperdiciarla, sino hacer frente a las grandes desgracias y no tumbarse en el suelo ni volver pie atrás.

Séneca

* Para mí los grandes hombres son los primeros y los héroes los últimos. Llamo grandes hombres a todos los que se han distinguido en lo útil y lo agradable.

Voltaire

* La vida de los héroes ha enriquecido la historia, y la historia ha embellecido las acciones de los héroes; por consiguiente, no se sabe quién debe más, si los que han escrito la historia o los que les han dado tan noble materia.

La Bruyère

HISTORIA

* Los hechos y las fechas son el esqueleto de la historia; las costumbres, las ideas y los intereses son la carne y la vida de la misma.

  Voltaire

* El que no conoce la historia, toda la vida será un niño.

  Cicerón

* La historia es el testigo de los tiempos, la luz de la verdad, la vida de la memoria, la escuela de la vida, la mensajera de la antigüedad.

  Cicerón

* La historia es la ciencia de los hechos.

  Bacon

* Antes de leer una historia, es muy importante leer la vida del historiador.

  Balmes

* La historia, émula del tiempo, depósito de las acciones, testigo de lo pasado, ejemplo y aviso de lo presente, advertencia de lo porvenir.

  Cervantes

* ¿No es la historia sino una fábula aceptada por muchos?

  Napoleón

* La historia universal es el tribunal del mundo.

Schiller

* Cualquiera puede hacer historia; pero sólo un gran hombre puede escribirla.

Oscar Wilde

* La historia es el cauce que el río de la vida se abre a sí mismo.

Hebbel

* La historia no es una ciencia, es un arte. En sus aciertos interviene siempre la imaginación.

Anatole France

HOMBRE

* El hombre es una cuerda que conecta al animal con el super-
hombre... Lo más grande es que es un puente y no un fin.

Nietzsche

* El hombre es un animal sociable.

Séneca

* Nadie se disfraza de algo peor que de sí mismo.

Salvador Elizondo (mexicano)

* Arte y vida; eso es el hombre.

Alberto Bonifaz Nuño (mexicano)

* El hombre es un pedazo del universo hecho vida.

Emerson

* El hombre es un péndulo entre la sonrisa y el llanto.

Lord Byron

* Los hombres, en general, no son sino niños grandes.

Napoleón

* El hombre es una caña, la más débil de todas, pero una caña
que piensa.

Pascal

* El hombre es un animal político y es un animal metafísico. Por ser lo uno y lo otro es un animal poético, una metáfora andante.

Octavio Paz (mexicano)

* El hombre es animal de soledades.

Rosario Castellanos (mexicana)

* Como el hombre no ha nacido sin faltas, el que tiene menos es mejor.

Horacio

* Para el hombre sólo hay tres sucesos importantes: nacer, vivir y morir. No se da cuanta de que nace, le espanta la muerte y se olvida de vivir.

La Bruyère

* El hombre es moral por sus temores e inmoral por sus deseos.

Pitágoras

* Condición del hombre: inconstancia, fastidio, inquietud.

Pascal

* El hombre no es más que un instinto adulterado por una inteligencia.

Luis María Martínez (mexicano)

* En el hombre no has de ver
su hermosura o gentileza;
su hermosura es la nobleza;
su gentileza el saber.

Juan Ruiz de Alarcón (mexicano)

* El espíritu es el hombre.

Bacon

* El hombre superior es siempre cándido y fácil; el hombre inferior siempre está preocupado por algo.

Confucio

* Es muy difícil ser constantemente el mismo hombre.

Séneca

* Los hombres son como los ríos, que conservan siempre el mismo nombre; pero cuyas aguas cambian constantemente.

Alejandro el Grande

* Más fácil es conocer al hombre en general, que conocer a un hombre en particular.

La Rochefoucauld

* Cada hombre es Adán. Cada hombre tuvo el mundo para sí, sin los otros (tal vez el paraíso haya sido la ausencia de los demás).

José Emilio Pacheco (mexicano)

* Considero que el estado natural del hombre es la lucha. Combate y pugna contra sus semejantes por muchas cosas, grandes o pequeñas.

Rafael F. Muñoz (mexicano)

* Los hombres se fijan ellos mismos su precio, alto o bajo, según mejor les parece, y nadie vale sino lo que se hace valer.

Epicteto

* El hombre se cree siempre más de lo que es y se estima en menos de lo que vale.

Goethe

* El hombre de alma virtuosa ni manda ni obedece.

Shelley

* El hombre ha nacido libre y por doquiera se encuentra sujeto con cadenas.

Rousseau

* El hombre lleva su superioridad dentro, el animal fuera.

Proverbio ruso

* La suprema facultad del hombre no es la razón, sino la imaginación.

Edmundo O'Gorman (mexicano)

* La adulación es el veneno más activo y el que los hombres toman con más facilidad, por prevenidos que se encuentren.

Vicente Riva Palacio (mexicano)

* Cada hombre lleva a cuestas su propia noche.

Marco Antonio Montes de Oca (mexicano)

* El que ha dicho no ser sino el mayor obediente y humilde servidor de la ocasión, ha pintado la naturaleza del hombre.

Voltaire

* Todo hombre lleva dentro de sí una bestia salvaje.

Federico el Grande

* El hombre es un bípedo implume.

Platón

* Cuando desaparecen los frenos y las cadenas de la ley y el orden, dando paso a la amargura, el hombre se revela tal cual es.

Schopenhauer

* El hombre es un animal irónico.

Amado Nervo (mexicano)

* El hombre es superior al animal porque tiene conciencia del bien.

Alfonso Reyes (mexicano)

* Así dijo el Señor: maldito sea el hombre que confíe en el hombre.

La Biblia, Jeremías

* Cada hombre da vueltas alrededor de su pequeño círculo, como el gato que juega con su cola.

Goethe

* El hombre es el único animal que hace daño a su pareja.

Ariosto

* El hombre es hielo para la verdad y fuego para la falsedad.
La Fontaine

* El hombre es, por naturaleza, un animal político.
Aristóteles

* Es hombre es la criatura que consiste en no querer ser hombre. No se anima a salir de su animalidad.
Eduardo Lizalde (mexicano)

* Las lágrimas caen de pie, cuando las derrama un hombre.
Andrés Henestrosa (mexicano)

* Los hombres somos nada, los principios son el todo.
Benito Juárez (mexicano)

* Los hombres son dioses muertos.
Carlos Díaz Dufoo, hijo (mexicano)

* El hombre es simplemente un animal más perfecto que los demás; razona mejor.
Napoleón

* El hombre es un animal domesticado.
Platón

* El hombre es un animal racional al que le saca de quicio que se le invite a obrar de acuerdo con los dictados de la razón.
Oscar Wilde

* ¿Qué otra cosa es el hombre, sino memoria de sí mismo?
Juan José Arreola (mexicano)

* Los sucesos exteriores no son nada, el hombre interior es todo.
Antonio Caso (mexicano)

* Toda la historia de la vida de un hombre está en su actitud.
Julio Torri (mexicano)

* El hombre es un dios en ruinas.
Emerson

* El hombre es una imitación burlesca de lo que debe ser.

Schopenhauer

* El hombre tiene más de mono que muchos monos.

Nietzsche

* En términos generales, el hombre es ingrato, voluble, hipócrita, cobarde ante el peligro y codicioso.

Maquiavelo

* Los hombres inteligentes son inconstantes, pero inteligentes; los tontos son también inconstantes, sin dejar de ser tontos.

Félix F. Palavicini (mexicano)

* El mundo tiene diarrea de hombres célebres: los produce todos los días y a todas horas.

Amado Nervo (mexicano)

* Algo tiene de animal el ser humano: es su parte buena.

Nikito Nipongo (mexicano)

* Entre todas las criaturas que se arrastran y respiran sobre la tierra, no hay ninguna más desdichada que el hombre.

Homero

* La tierra tiene una piel y ésta piel enfermedades; una de esas enfermedades se llama hombre.

Nietzsche

* Los hombres llegan a ser viejos, pero nunca llegan a ser buenos.

Oscar Wilde

* Los hombres se asemejan a sus contemporáneos todavía más que a sus progenitores.

Emerson

* Los hombres son criaturas muy raras: la mitad censura lo que ellos practican, la otra mitad practica lo que ellos censuran; el resto siempre dice y hace lo que debe.

Benjamín Franklin

* El hombre es periferia y centro, medio y fin, irradiación y foco luminoso de él mismo.

Jesús Silva Herzog (mexicano)

* Ayúdate a ti mismo, que nadie te ayudará.

Félix F. Palavicini (mexicano)

* Tomemos a los hombres como son, no como deben ser.

Schubert

* Vivimos en unos tiempos en que a uno le gustaría ahorcar a toda la raza humana y poner término a la farsa.

Mark Twain

* Yo estimo al hombre, pero no a los hombres.

Emerson

* El hombre ha sido siempre desdichado, porque no ha buscado siempre sino ser feliz.

José Romano Muñoz (mexicano)

* El patetismo del drama humano reside en la contradicción fundamental entre ser hombre y aspirar a ser Dios.

Raúl Cardiel Reyes (mexicano)

* Se necesita que ya no haya líderes importantes ni dirigentes de multitudes, sino que cada hombre sea capaz de conducirse por sí mismo.

Juan José Arreola (mexicano)

HONOR, HONRADEZ

* El honor es como el valor, un testigo lo inspira y lo sostiene.

    Bourget

* El honor es pudor viril.

    Lambert

* La dignidad no consiste en nuestros honores, sino en el reconocimiento de merecer lo que tenemos.

    Aristóteles

* El honor es cristal puro que con un soplo se quiebra.

    Lope de Vega

* Aquel hombre que pierde la honra por el negocio, pierde el negocio y la honra.

    Quevedo

* El honor es una esencia que no se ve. A menudo tienen honor los que no lo tienen.

    Shakespeare

* Yo creo más en el honor que en las pasiones.

    Simón Bolívar

* La verdadera honradez, en las acciones del hombre, consiste en la disposición de hacerlas bien cuando se está seguro, que nadie lo ha de saber.

Cicerón

* Ser honrado en la época que corre, equivale a ser un hombre entre diez mil.

Shakespeare

* La mujer que se determina a ser honrada, entre un ejercito de soldados lo puede ser.

Cervantes

* Un hombre que oculta lo que piensa, o no se atreve a decir lo que piensa, no es un hombre honrado.

José Martí

* La honradez y la utilidad son el fundamento de todas las acciones.

Cicerón

* El hombre verdaderamente honrado es el que no se ofende por nada.

La Rochefoucauld

* La honradez es ensalzada, pero se muere de hambre.

Proverbio latino

IGNORANCIA

---

* En amistad y en amor somos a menudo más felices por la *muy imp* ignorancia que por el conocimiento.

  Shakespeare

* La ignorancia es la noche de la mente; pero una noche sin lunas y sin estrellas.

  Confucio

* Quien dice ignorancia dice ceguedad, preocupaciones, error, superstición, despotismo, arbitrariedad, humillación, miseria e inmoralidad.

  Víctor Hugo

* La mayor parte de lo que ignoramos, es mucho mayor de todo cuanto sabemos.

  Platón

* Ninguno debe de aprovecharse de la ignorancia ajena.

  Cicerón

* La tierra no produce para los ignorantes sino maleza y abrojos.

  Jovellanos

* No hay otras tinieblas que las de la ignorancia.

Shakespeare

* La ignorancia es un rocín que hace tropezar a cada paso a quien le monta y pone en ridículo a quien le conduce.

Cervantes

IGUALDAD

* Todos los hombres tienen el mismo derecho a sentarse a la misma mesa.

Oscar Wilde

* En una comedia se muestran reyes, emperadores, pontífices, caballeros, damas y demás personajes; se acaba la comedia, se despojan de las vestimentas y todos se quedan iguales. En el mundo se hace cuanto acontece en la comedia y llega la muerte, despoja del ropaje y todos son iguales en la sepultura.

Cervantes

* La igualdad será tal vez un derecho, pero no hay poder humano que alcance jamás a convertirla en hecho.

Balzac

* La igualdad es parte principal de la equidad.

Séneca

* Todos somos del mismo barro, pero no es lo mismo bacín que jarro.

Anónimo

* La igualdad sólo existe en teoría.

Napoleón

IMAGINACIÓN

* El que tiene imaginación, con qué facilidad saca de la nada un mundo.

Bécquer

* La imaginación es la loca de la casa.

Voltaire

* Los hombres toman a menudo su imaginación por corazón.

Pascal

* Se imagina lo que se desea; se quiere lo que se imagina y al fin, se crea lo que se quiere.

Bernard Shaw

* La imaginación tiene sobre nosotros mucho más imperio que la realidad.

La Fontaine

* Nunca es uno tan feliz ni tan desgraciado como imagina.

La Rochefoucauld

* El miedo, la malicia y los celos poseen una brillante imaginación.

Bottach

* Si un hombre se imagina una cosa, otro la tornará en realidad.

Julio Verne

* La imaginación gobierna al mundo.

Napoleón

* La imaginación es más importante que el conocimiento.

Albert Einstein

* La raza humana está controlada por su imaginación.

Napoleón

* La imaginación dispone de todo; crea belleza, justicia y felicidad, que es el todo del mundo.

Pascal

JUICIO

---

* ¿Quieres juzgar a un hombre?, observa quienes son sus amigos.
  Fénelon

* Juzga cada día aisladamente, como si fuera una aislada vida.
  Séneca

* El hombre justo comprende en medio de la turbulencia de sus anhelos dónde está el verdadero camino.
  Goethe

* Hacia el lado de la inclinación hacen los hombres las más veces el juicio.
  Quevedo

* No se puede, de prisa, condenar la conducta de los demás. Los que quieran juzgar y sentenciar han de ver primero si en su casa todo va bien.
  Molière

* El juicio no es más que la grandeza de las luces del espíritu.
  La Rochefoucauld

* Lo que no quieras para ti no lo hagas ni lo trates con nadie; juzga tu corazón por el ajeno.
  Santa Teresa

* Antes de juzgar al prójimo, pongámosle a él en nuestro lugar y a nosotros en el suyo y bien seguro que será entonces nuestro juicio recto y caritativo.

San Francisco de Sales

* El juicio de los hombres entendidos descubre por las cosas claras las oscuras, por las pequeñas las grandes y por las parciales la totalidad.

Séneca

* El sabio juzga el porvenir por el pasado.

Sófocles

* No juzgues si no quieres ser juzgado.

San Mateo

JUSTICIA

---

* De nada sirven las leyes cuando se cela su observacin y no se castiga a los delincuentes.
  Francisco Javier Clavijero (mexicano)

* No temas a la ley, sino al juez.
  Proverbio ruso

* No tengo más que una piedra en mi honda; pero esa piedra es buena, esa piedra es la justicia.
  Víctor Hugo

* En la mejor parte de los hombres, el amor a la justicia no es más que el dolor de sufrir una injusticia.
  La Rochefoucauld

* La justicia no está en el cielo, está en un lugar cercano; lo difícil es hallarlo.
  Eurípides

* Una circunstancia esencial de la justicia es administrar prontamente, hacerla esperar o diferir es ya una injusticia.
  La Bruyère

* Donde hay poca justicia es un gran peligro tener razón.
  Quevedo

* El juez debe tener en la mano el libro de la ley, y el entendimiento en el corazón.

Bacon

* El primer valor de la justicia es conocer que se administra.

Rousseau

* Hacer depender la justicia de las convenciones humanas es destruir toda moral.

Cicerón

* Antes de presentarse al tribunal de los jueces, preséntate al de la justicia.

Epicteto

* La piedad es la virtud de la justicia y sólo los tiranos la ejercen cruelmente.

Shakespeare

* La principal ventaja de la justicia y de la buena fe, es hacer inútil la fuerza.

Plutarco

* La más excelente de todas las virtudes es la justicia.

Aristóteles

* La justicia es reina y señora de todas las virtudes.

Cicerón

JUVENTUD

* La juventud rebelde es la antesala de la madurez conformista.
  Francisco Martínez de la Vega (mexicano)

* La juventud es la sonrisa del porvenir ante un desconocido que es él mismo.
  Víctor Hugo

* Tan peligrosa es la mocedad por sus excesos como la vejez por sus achaques.
  Juan Rulfo (mexicano)

* No es exacto que la juventud actual esté degenerada; hay jóvenes de veinte años que aún están muy bien conservados.
  Bernard Shaw

* La juventud debe acumular; la vejez, usar.
  Séneca

* La juventud es una embriaguez continua; es la fiebre de la razón.
  La Rochefoucauld

* Lo que mejor sienta a la juventud es la modestia, el pudor, el amor a la templanza y la justicia. Tales son las virtudes que deben formar su carácter.
  Sócrates

* A las muchachas las amamos por lo que son; a los muchachos por lo que prometen ser.

  Goethe

* A los treinta años, incluso antes, los hombres y las mujeres han perdido toda su vivacidad y su entusiasmo y si fracasan en sus primeras empresas abandonan la partida.

  Emerson

* De todas las bestias salvajes, el muchacho es el más difícil de manejar.

  Platón

* Desconfía del médico joven y del barbero viejo.

  Benjamín Franklin

* La juventud ama el honor y la victoria más que el dinero. En realidad, apenas se preocupa por éste, porque todavía no ha aprendido lo que significa carecer de él.

  Aristóteles

* La juventud cambia sus gustos por el calor de su sangre; la vejez los conserva por costumbre.

  La Rochefoucauld

* La juventud es la mejor época para ser rico y la mejor época para ser pobre.

  Eurípides

* La juventud se engaña fácilmente porque la esperanza hace rápida presa de ella.

  Aristóteles

* La juventud tiene el genio vivo y el juicio débil.

  Homero

* La mayoría de los hombres emplea la primera mitad de su vida en hacer miserable el resto de ella.

  La Bruyère

* La juventud es un sol de verano.

Edgar Allan Poe

* La sangre joven no obedece a un viejo mandato.

Shakespeare

* Los deseos del joven muestran las virtudes futuras del hombre.

Cicerón

* Los pecados de la juventud se pagan en la vejez.

Proverbio latino

* La juventud siempre tiene la ilusión por alimento.

Descartes

* La juventud, en todas partes, es atrayente, animosa y vencedora.

Rubén Darío

* La juventud es el tiempo de estudiar la sabiduría.

Rousseau

* Era injusto, porque la juventud es pasión y la pasión no es justicia.

Rubén Darío

* De nada sirve ser joven sin ser hermosa; de nada sirve ser hermosa si no se es joven.

Molière

* Los niños nunca cumplen lo que prometen; los jóvenes, raras veces, y si cumplen su palabra, el mundo no se las cumple a ellos.

Goethe

* Las faltas de los jóvenes se olvidan con facilidad cuando se reflexiona.

Molière

* En la juventud, la ligereza es la más alegre compañera; oculta los males y con mano providencial borra rápidamente las huellas de la desgracia tan pronto como ésta pasa.

Goethe

* Todo pasa, en verdad y la juventud más pronto que todo.

Rubén Darío

LEY

---

* Es absurdo decir que debe haber una ley para el hombre y otra para la mujer. Lo cierto es que no debiera de haber leyes ni para los hombres ni para las mujeres.

    Oscar Wilde

* Más fácil es hacer leyes que hacerlas ejecutar.

    Napoleón

* Las leyes son los soberanos de los soberanos.

    Luis XIII

* El buen ciudadano es aquél que no puede tolerar en su patria un poder que pretende hacerse superior a las leyes.

    Cicerón

* Lo que las leyes no evitan, puede evitarlo la honradez.

    Séneca

* La ley no debe de acordarse de las cosas pasadas, sino debe de proveer el futuro.

    Maquiavelo

* Crecen las leyes por la inobservancia de las antiguas; las pasadas envejecen.

    Quevedo

* La ley debe ser como la muerte, que no exceptúa a nadie.

    Montesquieu

* En ninguna ciudad las leyes tendrían la fuerza que deben tener si no fuesen sostenidas con el miedo.

Sófocles

* Leyes demasiado suaves nunca se obedecen; demasiado severas, nunca se ejecutan.

Benjamín Franklin

* En un gobierno bien constituido las leyes se ordenan según el bien público y no según las ambiciones de unos pocos.

Maquiavelo

* Cuando una cosa es buena por sí, no necesita leyes.

Maquiavelo

* La ley no puede ser buena porque es anterior a toda idea de bondad.

Anatole France

* El magistrado es una ley que habla.

Cicerón

* La ley es poderosa, pero más poderosa es la necesidad.

Goethe

* El último grado de la perversidad es hacer servir las leyes para la injusticia.

Voltaire

* El único estado estable, es aquel en que todos los ciudadanos son iguales ante la ley.

Aristóteles

LIBERTAD

---

* Aquellos que niegan la libertad a otros no la merecen para sí y bajo un Dios justo no pueden conservarla mucho tiempo.

  Abraham Lincoln

* Aquellos que pueden renunciar a la libertad esencial por conseguir una pequeña seguridad transitoria, no merecen ni la libertad ni la seguridad.

  Benjamín Franklin

* El árbol de la libertad debe ser vigorizado de vez en cuando con la sangre de patriotas y tiranos; es su fertilizante natural.

  Thomas Jefferson

* Es verdaderamente libre aquel que desea solamente lo que es capaz de realizar y que hace lo que le agrada.

  Rousseau

* La libertad es aquella facultad que aumenta la utilidad de todas las demás facultades.

  Kant

* La libertad es el derecho a hacer lo que las leyes permiten. Si un ciudadano tuviera derecho a hacer lo que éstas prohiben, ya no sería libertad, pues cualquier otro tendría el mismo derecho.

  Montesquieu

* La libertad es la obediencia a la ley que uno mismo se ha trazado.

  Rousseau

* La libertad no es un fruto que crezca en todos los climas y por ello no está al alcance de todos los pueblos.

Rousseau

* La libertad significa responsabilidad, por eso le temen la mayor parte de los hombres.

Bernard Shaw

* La libertad sólo puede fijar su residencia en aquellos estados en que, el pueblo, tiene el poder supremo.

Cicerón

* La libertad, Sancho, es uno de los más preciosos dones que a los hombres dieron los cielos. Con ella no pueden igualarse los tesoros que encierra la tierra ni el mar encubre; por la libertad, así como por la honra, se puede y debe aventurar la vida.

Cervantes

* La Naturaleza concede libertad hasta a los animales.

Tácito

* Nadie puede ser perfectamente libre hasta que todos lo sean.

Herbert Spencer

* Ningún favor produce una gratitud menos permanente que el don de la libertad, especialmente entre aquellos pueblos que están dispuestos a hacer mal uso de ella.

Tito Livio

* No es bueno ser demasiado libre. No es bueno tener todo lo que uno quiere.

Pascal

* No hay ningún hombre absolutamente libre. Es esclavo de la riqueza, o de la fortuna, o de las leyes, o bien el pueblo le impide obrar con arreglo a su exclusiva voluntad.

Eurípides

* ¿Preguntas qué es la libertad?, no es ser esclavo de nada, de ninguna necesidad, de ningún accidente y conservar la fortuna al alcance de la mano.

Séneca

* Pueblos libres, recordad esta máxima: podemos adquirir la libertad, pero nunca se recupera una vez que se pierde.

Rousseau

* ¿Quién es libre?, el sabio que puede dominar sus pasiones, que no teme a la necesidad, a la muerte ni a las cadenas, que refrena firmemente sus apetitos y desprecia los honores del mundo, que confía exclusivamente en sí mismo y que ha redondeado y pulido las aristas de su carácter.

Horacio

* Sólo es digno de libertad aquel que sabe conquistarla cada día.

Goethe

* Todos los hombres tienen iguales derechos a la libertad, a su prosperidad y a la protección de las leyes.

Voltaire

* Un hombre libre es aquél que, teniendo fuerza y talento para hacer una cosa, no encuentra trabas a su voluntad.

Hobbes

* No hay acción moral sin cierta libertad.

Simón Bolívar

* El único medio de conservar el hombre su libertad es estar siempre dispuesto a morir por ella.

Diógenes

* No hay sentimiento más inseparable de nuestro ser que el sentimiento de libertad.

Federico el Grande

* La libertad está en ser dueño de la vida propia, en no depender de nadie en ninguna ocasión, en subordinar la vida sólo a la propia voluntad y en no hacer caso de la riqueza.

Platón

* ¿Quién es libre?, sólo el que sabe dominar sus pasiones.

Homero

* La libertad es, en la filosofía, la razón; en el arte, la inspiración; en la política, el derecho.

Víctor Hugo

* Sujetarse a las reglas de la razón es la verdadera libertad.

Plutarco

* La libertad no viene del deber, sino que es una consecuencia de él.

Kant

* La libertad y el progreso son el objeto, tanto del arte, como de la vida en general.

Beethoven

* Más cuesta mantener el equilibrio de la libertad que soportar el peso de la tiranía.

Simón Bolívar

* Libre es aquel que no está esclavizado por ninguna torpeza.

Cicerón

* Es libre el que vive según su elección.

Epicteto

* La libertad suele ir vestida de harapos; pero aún así, es muy bella, más bella que todas las libreas de oro y plata.

Amado Nervo (mexicano)

* Para alcanzar la libertad sólo hay un camino: el desprecio de las cosas que no dependan de nosotros.

Epicteto

* La libertad es el derecho que tiene todo hombre a ser honrado y a pensar y a hablar sin hipocresía.

José Martí

* Donde está el espíritu del Señor, está la libertad.

San Pablo

* La libertad es un bien común y cuando no participen todos de ella, no serán libres los que se crean tales.

Unamuno

LIBROS, LITERATURA

* Escribir es perderse en la impersonalidad del lenguaje y aceptar esa pérdida para que el lenguaje viva.
  Juan García Ponce (mexicano)

* ¡Hay que escribir con sangre!
  Manuel de la Parra (mexicano)

* De todas mis penas me he consolado siempre con un hora de lectura.
  Montesquieu

* El hombre que escribe acerca de sí mismo y de su propia época, es el único que escribe acerca de todas las personas y de todos los tiempos.
  Bernard Shaw

* En los libros perdura la imagen del ingenio y del conocimiento de los hombres.
  Francis Bacon

* Es más necesario estudiar a los hombres que a los libros.
  La Rochefoucauld

* No hay amigo tan complaciente como un libro.
  Alfonso Reyes (mexicano)

* No se trata de leer libros, se trata de entenderlos.
  Emilio Fernández (mexicano)

* Los libros constituyen la compañía más grata, los amigos más constantes y generosos. A cambio de eso reclaman un trato frecuente, delicado, comedido.

Andrés Henestrosa (mexicano)

* Hay libros que pueden probarse y otros que se pueden tragar; sólo algunos merecen ser masticados y digeridos.

Francis Bacon

* La literatura nacional es un término que está ya desprovisto hasta cierto punto de sentido. La época de la literatura universal está al alcance de la mano y cada cual debe esforzarse por apresurar su llegada.

Goethe

* La literatura se anticipa siempre a la vida. No la copia, sino que la moldea con arreglo a sus fines.

Oscar Wilde

* La única recompensa que puede esperarse del cultivo de la literatura es el desdén si uno fracasa y el odio si uno triunfa.

Voltaire

* Hoy todos leemos, por fortuna y todos escribimos, por desgracia.

Francisco A. de Icaza (mexicano)

* El escritor escribe mentiras. Trabaja con la imaginación. Y su trabajo es crear, a través de la imaginación, una realidad que aparente ser real, pero que es mentira.

Juan Rulfo (mexicano)

* Quienes leen mucho los libros, nunca saben leer el libro del corazón.

Justo Sierra (mexicano)

* Los libros son las cosas mejores cuando se usan bien; cuando se usan mal figuran entre las peores.

Emerson

* Mis libros están siempre a mi disposición; nunca están ocupados.

Cicerón

* No es posible vivir sin libros.

Thomas Jefferson

* Un hombre dice: "a juzgar por el efecto que a mí me ha causado, este libro es dañino". Dejadle esperar y puede que un día confiese que le hizo un gran servicio al descubrirle una enfermedad oculta en su alma.

Nietzsche

* De los libros valen los escritos con sangre, los escritos con bilis y los escritos con luz.

Carlos Díaz Dufoo, hijo (mexicano)

* Los libros de la niñez no pasan nunca, no envejecen, no mueren. En sus líneas, que no en balde parecen surcos, los poetas arrojaron la simiente de las palabras que después han florecido en el hombre.

Andrés Henestrosa (mexicano)

* Un libro es como un jardín que se lleva en el bolsillo.

Proverbio árabe

* Yo detesto los libros pues sólo enseñan a la gente a hablar de algo que no entienden.

Rousseau

* Yo me atengo a los libros antiguos, pues siempre me enseñan algo; de los nuevos, aprendo muy poco.

Voltaire

* La pasión de escribir lleva su recompensa en su ejercicio. Debe desentenderse de los premios y castigos del mundo.

José Emilio Pacheco (mexicano)

* Manda el mejor precepto retórico escribir únicamente sobre lo que se ama.

Alfonso Reyes (mexicano)

* Aunque lo bello y lo útil no sean una misma cosa, no deben caminar separados en las obras literarias.

Ignacio Ramírez (mexicano)

* No hay bastante con la mitad de la vida para escribir un buen libro, y de la otra mitad, para corregirlo.

Rousseau

* Un libro hermoso es una victoria ganada en todos los campos de batalla del pensamiento humano.

Balzac

* En muchas ocasiones la lectura de un libro ha hecho la fortuna de un hombre, decidiendo el curso de su vida.

Emerson

* El libro enriquece igualmente la soledad y la compañía.

Alfonso Reyes (mexicano)

* La literatura hay que hacerla con amor.

Rafael F. Muñoz (mexicano)

* El buen lector hace el buen libro.

Emerson

* Un libro raro sería aquel en el que no se encontraran mentiras.

Napoleón

* Un hogar sin libros, es como un cuerpo sin alma.

Cicerón

* La primera edición no es mas que un ensayo.

Voltaire

* Hay libros que se leen con el sentimiento de una limosna que se hace al autor.

Hebbel

* Autor: tu libro es una brizna del papel que se arremolina en las calles, que contamina las ciudades, que sopla sobre el planeta. Es celulosa y en celulosa se convertirá.

Gabriel Zaid (mexicano)

* Los libros sirven menos a la cultura que a la decoración.

Nikito Nipongo (mexicano)

LOCURA

* El loco que conoce su locura es sabio al menos en eso; pero el loco que se cree un sabio es un loco rematado.

Buda

* Quien vive sin locura, no es tan cuerdo como parece.

La Rochefoucauld

* ¿Qué cosa es la locura?, es la ilusión elevada a la segunda potencia.

Amiel

* Siempre hay un poco de locura en el amor. Pero siempre hay también un poco de razón en la locura.

Nietzsche

* El más sabio tiene también sus ratos de locura.

Voltaire

* Los locos piensan y tienen todos alguna idea, cuya tensión exagerada ha roto el resorte de su inteligencia. Los dementes son enfermos del espíritu y del corazón; almas desdichadas, pero llenas de vida y de fuerza.

Emilio Zola

* La ciencia no nos ha enseñado aún si la locura es o no lo más sublime de la inteligencia.

Edgar Allan Poe

MALDAD

* Es un gran consuelo pensar que el mal que sufres, todos lo han sufrido antes y todos lo sufrirán.

Séneca

* Los malvados obedecen a sus pasiones como los esclavos a sus dueños.

Diógenes

* Hacer mal por voluntad, es peor que hacerlo por fuerza.

Aristóteles

* No hay mal sin compensación.

Séneca

* No hagas el mal y el mal no existirá.

Tolstoi

* Para todos lo males hay dos remedios: el tiempo y el silencio.

Alejandro Dumas, padre

* El sólo no hacer bien, ya es un gran mal.

San Francisco de Sales

* Dios es el autor del bien que te llegue. El mal viene de ti.

El Corán

* El mal que no me perjudica, es como el bien que no me aprovecha.

Leonardo da Vinci

* Tal hay que se quiebra dos ojos, porque su enemigo se quiebre uno.

Cervantes

* Los males que llegan a ser desesperados sólo se curan con remedios enérgicos.

Shakespeare

* Lo que no es bueno para el enjambre, tampoco lo es para la abeja.

Marco Aurelio

* No hay mal que por bien no venga.

Dicho popular

* La maldad es generalmente un producto de la ociosidad social.

Crane

* A la maldad con éxito se le llama virtud.

Séneca

* Cosa en verdad extraña es la facilidad con que los malvados creen que todo les saldrá bien.

Víctor Hugo

* El que desde sus primeros años se acostumbra a la maldad, hace luego del crimen un arte.

Ovidio

* No ser de lo peor que hay, es casi estar a un nivel de elogio.

Shakespeare

MATRIMONIO

* Donde hay matrimonio sin amor, habrá amor sin matrimonio.
  Benjamín Franklin

* No hay carga más pesada que la mujer liviana.
  Cervantes

* Para que un matrimonio sea feliz, el marido debe ser sordo y la esposa ciega. *Muy IMP*
  Refrán español

* Los hombres se casan por cansancio. Las mujeres por curiosidad; ambos salen chasqueados.
  Oscar Wilde

* El matrimonio es una celada que nos tiende la naturaleza.
  Schopenhauer

* El amor abre el paréntesis, el matrimonio lo cierra. *Muy IMP*
  San Agustín

* Quién tiene una mujer e hijos ha dado hospedaje a la suerte.
  Bacon

* El hombre que se casa es un imbécil elevado a la categoría de héroe.
  Doctor Atl (mexicano)

* Los casados deben ser y serán sagrados el uno para el otro, aún más de lo que es cada uno para sí.

Melchor Ocampo (mexicano)

* La vida conyugal es una barca que lleva a dos personas en medio de una tempestad. Si alguno de los dos hace un movimiento brusco, la barca se hunde.

Tolstoi

* Después de diez años de matrimonio, el divorcio debería ser imposible.

Napoleón

* Si quieres casarte bien, cásate con tu igual.

Ovidio

* Los hombres pueden estimarse antes de conocerse; los esposos deben conocerse antes de amarse.

Molière

* El amante le enseña a la mujer cuanto le oculta su marido.

Balzac

* La mujer legítima no es una mercancía que pueda devolverse, cambiar o ceder, después de haberla comprado; es algo inseparable que dura tanto como la vida, es un lazo que atado a nuestro cuello, forma un nudo que sólo se desata con la guadaña de la muerte.

Cervantes

* El matrimonio es como la historia de los países coloniales: primero viene la conquista y luego se sueña con la independencia.

Marco Antonio Almazán (mexicano)

* Son difíciles los primeros años del matrimonio, pero los siguientes resultan intolerables.

Nikito Nipongo (mexicano)

* La suerte de una familia depende de la primera noche.

Balzac

* El matrimonio es un injerto; en unos prende bien y en otros mal.
  Víctor Hugo

* Es tan pesada la cadena del matrimonio, que para llevarla se necesitan dos personas, y a veces tres.
  Alejandro Dumas, hijo

* Casarse está bien, no casarse está mejor.
  San Agustín

* El setentón que se casa con quince, o carece de entendimiento o tiene ganas de visitar el otro mundo lo más pronto posible.
  Cervantes

* El matrimonio es el único medio de fundar la familia, de conservar la especie y de suplir las imperfecciones del individuo, que no puede bastarse a sí mismo para llegar a la perfección del género humano.
  Melchor Ocampo (mexicano)

* El amor es física y el matrimonio química.
  Alejandro Dumas, hijo

* El matrimonio debe combatir sin tregua un monstruo que todo lo devora, la costumbre.
  Balzac

* Matrimonio: así llamo a la voluntad de dos de crear uno que sea más que los que han creado. Respeto recíproco es matrimonio, respeto recíproco a los que coinciden en tal voluntad.
  Nietzsche

* El matrimonio es la más licenciosa de las instituciones humanas. Éste es el secreto de su popularidad.
  Bernard Shaw

* Aquel que mira a una mujer codiciándola, ha cometido ya el adulterio en su corazón con ella.
  San Mateo

* Los hombres jóvenes quieren ser fieles y no lo son; los viejos quieren ser infieles y no pueden.

Oscar Wilde

* Marido es todo lo que queda del novio después de la boda.

Marco Antonio Almazán (mexicano)

* Cuando un hombre golpea a su amante, inflige una herida; cuando golpea a su esposa, comete un suicidio.

Balzac

* El divorcio es completamente desventajoso para las mujeres. Un hombre pudo haber tenido varias esposas sin mostrar señales de ello, mientras que la mujer que se ha casado varias veces, se marchita por completo.

Napoleón

* El hombre soltero es un animal incompleto. Se asemeja a la mitad de un par de tijeras.

Benjamín Franklin

* Un filósofo casado es un personaje cómico.

Nietzsche

* El matrimonio es posible porque combina el máximo de tentación con el máximo de oportunidad.

Bernard Shaw

* El mundo mira con desconfianza todo cuanto tiene la apariencia de una vida conyugal feliz.

Oscar Wilde

* El primer vínculo de la sociedad es el matrimonio; después, los hijos y después, la familia.

Cicerón

* En los celos interviene más el amor propio que el amor.

La Rochefoucauld

* Es necesario ser casi un genio para ser un buen marido.

Balzac

* Feliz el hombre quien tiene un buena esposa; vive el doble.

  Goethe

* Hoy en día es sumamente peligroso para un marido tener atenciones para con su esposa en público; esto hace siempre pensar a la gente que le pega cuando están solos.

  Oscar Wilde

* La castidad de las viudas y de las vírgenes es muy superior a la castidad del matrimonio.

  San Agustín

* La felicidad de un hombre casado depende de las personas con quienes se ha casado.

  Oscar Wilde

* La fidelidad que ha sido comparada con el dinero, puede ser vencida por el dinero.

  Séneca

* La mayoría de los maridos me dan la impresión de un orangután queriendo tocar un violín.

  Balzac

* La mujer se preocupa del porvenir hasta que consigue marido; el hombre empieza a preocuparse de él cuando consigue esposa.

  Anónimo

* Las esposas son nuestras amantes en la juventud; nuestras compañeras en la edad madura y nuestras enfermeras en la vejez.

  Francis Bacon

* Las mujeres se han vuelto tan instruidas que nada les sorprende, excepto los matrimonios felices.

  Oscar Wilde

* El divorcio es la fe de erratas del matrimonio.

  Marco Antonio Almazán (mexicano)

* Ningún hombre debe casarse hasta haber estudiado anatomía y haber hecho la disección por lo menos de una mujer.

Balzac

* ¡Qué delicia tener un marido por la noche a nuestro lado! Aunque no sea más que por el placer de tener a alguien que os salude y os diga ¡Jesús! cuando estornudáis.

Molière

* Todas las tragedias concluyen con una muerte; todas las comedias concluyen con un matrimonio.

Lord Byron

* Un buen marido no es el primero en dormirse por la noche, ni el último en levantarse por la mañana.

Balzac

* Un buen marido vale más que dos buenas esposas, pues las cosas que escasean son las más apreciadas.

Benjamín Franklin

* Una mujer casada es una esclava que exige ser colocada en un trono.

Balzac

* Veinte años de aventuras dan a una mujer el aspecto de una ruina; pero veinte años de matrimonio hacen que parezca algo así como un edificio público.

Oscar Wilde

* La fidelidad masculina casi siempre suele ser consecuencia de tener mala suerte con las mujeres.

Marco Antonio Almazán (mexicano)

MENTIRA

* El hombre que no teme a las verdades, nada tiene que temer a las mentiras.

  Thomas Jefferson

* La mentira es justa cuando, por hacer bien, la verdad oculta.

  Proverbio español

* Las mentiras del corazón comienzan desde la cara.

  Quevedo

* No es la mentira que pasa por la mente, sino la que entra y arraiga en ella, la que hace mal.

  Bacon

* Después de todo, ¿qué es una mentira? No es otra cosa que la verdad con máscara.

  Lord Byron

* La mentira es un vicio cuando con ella se causa el mal y es una gran virtud cuando causa un bien.

  Voltaire

* Mentir bellamente es un arte. Decir la verdad es obrar según la naturaleza.

  Oscar Wilde

* Hay quienes no creen nunca nada de lo que ellos mismos dicen. Y naturalmente, no pueden creer nada de lo que dicen los demás.

Bernard Shaw

* Así como es pena del mentiroso que cuando diga la verdad no se le crea, así es gloria del bien acreditado el ser creído cuando dice una mentira.

Cervantes

* La mentira es la rectificación que el cerebro soberano hace a la vida mezquina; es una corrección a la existencia; es una protesta contra el orden trivial de las cosas; es un reproche a la naturaleza, que sólo es bella cuando miente.

Amado Nervo (mexicano)

* Una mentira nunca vive hasta hacerse vieja.

Sófocles

* Es más fácil engañar que desengañar.

Napoleón

* Nada es más fácil que engañar a un hombre honrado.

Proverbio español

* Para mentir y comer pescado hay que tener mucho cuidado.

Dicho popular

* Al embustero no se le da crédito ni cuando dice la verdad.

Cicerón

* Antes se pilla a un embustero que a un cojo.

Refrán español

* Dios os ha dado una cara y vosotros os hacéis otra.

Shakespeare

* ¿En qué consiste una hermosa mentira? Simplemente en que aquella se sostiene por sí sola. Si un hombre carece de imaginación hasta el extremo de tener que presentar pruebas en apoyo de una mentira, más vale que diga la verdad sin tardanza.

Oscar Wilde

* Es de gran importancia disfrazar las propias inclinaciones y desempeñar bien el papel de hipócrita.

Maquiavelo

* Es una hipocresía muy noble no hablar de sí mismo.

Nietzsche

* Espero que no hayas llevado una doble vida aparentando ser malo y siendo en realidad bueno; eso sería hipocresía.

Oscar Wilde

* La especie de mentira más común, es aquella con la que un hombre se engaña a sí mismo. El engañar a los demás es un defecto relativamente raro.

Nietzsche

* La finalidad del embustero es agradar, deleitar, proporcionarnos un placer; es la base misma de la sociedad.

Oscar Wilde

* La hipocresía es un homenaje que el vicio rinde a la virtud.

La Rochefoucauld

* La mentira sólo es útil a los hombres como medicina. El uso de tales medicinas debe estar circunscrito a los médicos.

Platón

* Una mentira va pisándole los talones a la otra.

Terencio

MÉXICO,
LO MEXICANO

* La mayoría de los mexicanos piensa, siente y adora todas las cosas que son un poco mágicas, místicas.

Juan Soriano (mexicano)

* México ha sido un adicto incorregible a la droga de la deuda.

Juan José Hinojosa (mexicano)

* A semejanza del hombre, los países maduran por el dolor y en este aspecto considero a México uno de los más maduros.

Rodolfo Usigli (mexicano)

* En pocos países asume la lucha femenina contra la obesidad caracteres más angustiosos, ni tan estériles, como en México.

Salvador Novo (mexicano)

* Hay dos Méxicos uno arriba y otro abajo, o uno en el centro y otro a los lados, uno de la prosperidad y otro de la miseria, uno de las ventajas y otro de las obligaciones.

Carlos Monsiváis (mexicano)

* La mayoría de los mexicanos creen en el milagro y en que basta nacer en México para ser maravilloso.

Juan Soriano (mexicano)

* El mito mexicano suele serlo todo: imagen, explicación y substancia del mundo. La realidad del mito es la irrealidad del país.

Carlos Monsiváis (mexicano)

* México no merece a sus grandes hombres.

Guadalupe Amor (mexicana)

* México perdona a los bandidos, nunca perdona a los que triunfan.

Fernando Benítez (mexicano)

* A México lo amo como se quiere a una mujer ingrata e infiel.

José Luis Cuevas (mexicano)

* En México, si Caín no mata a Abel, Abel mata a Caín.

Alvaro Obregón (mexicano)

* La indiferencia del mexicano ante la muerte se nutre de su indiferencia ante la vida.

Octavio Paz (mexicano)

MORAL

* La moral es la ciencia por excelencia; es el arte de vivir bien y de ser dichoso.

  Pascal

* Si viviéramos lo bastante para ver el resultado de nuestras acciones, los que se llaman morales quizá sucumbirían bajo negros remordimientos y aquellos a quienes el mundo tiene por contrario, sentirían un noble placer.

  Oscar Wilde

* La moral enseña a moderar las pasiones, a cultivar las virtudes y a reprimir los vicios.

  La Rochefoucauld

* Cuando más moral es el hombre, menos acusa de inmoralidad a los demás.

  Cicerón

* La moral es frecuentemente el pasaporte de la maledicencia.

  Napoleón

* Predicar moral es fácil; fundar moral es lo difícil.

  Schopenhauer

* Cuando el sentido moral se pierde, todo está perdido, pese a la habilidad, a la intriga.

  Rubén Darío

* La moral es, de todas las ciencias, la más interesante.

Horacio

* La moral es la regla de las costumbres. Y las costumbres son los hábitos. La moral es, pues, la regla de los hábitos.

Anatole France

* "Haz a los hombres lo que quieres que ellos te hagan"; tal es el principio sobre el que descansa toda moral.

Charles Darwin

MUERTE

* La muerte nos lleva a la calma y al profundo sueño de que gozábamos antes de venir al mundo.

Cicerón

* La muerte es el descanso y el fin de todas las penas.

Séneca

* No importa cómo muere un hombre. Lo que importa es cómo vivió.

Bernard Shaw

* Una honesta muerte redime una vida torpe.

Tácito

* Despertar es morir. No me despierten.

Xavier Villaurrutia (mexicano)

* Morir a tiempo es lo más difícil de la vida.

Jesús Silva Herzog (mexicano)

* La muerte hizo del cuerpo morada inútil al alma.

Fray Luis de León

* El hombre débil teme a la muerte; el desgraciado, la llama; el valentón, la provoca y el hombre sensato la espera.

Benjamín Franklin

* La muerte es cobarde para los que no le huyen y animosa para los que le temen.

Lope de Vega

* Morir es tan sencillo y tan aceptable como nacer.

Anatole France

* Lloras a tus muertos con un desconsuelo tal, que no parece sino que tú eres eterno.

Amado Nervo (mexicano)

* La muerte es intransferible, como la vida.

Octavio Paz (mexicano)

* La muerte da lecciones y ejemplos; la muerte nos lleva el dedo por sobre el libro de la vida.

José Martí

* ¿Cómo puede morirse de repente quien desde que nace ve que va corriendo por la vida y lleva consigo la muerte?

Quevedo

* La vida del muerto está en la memoria del vivo.

Cicerón

* Si quieres saber lo que es la vida, pregúntate a ti mismo lo que es la muerte.

Hebbel

* La muerte es un acto infinitamente amoroso.

José Revueltas (mexicano)

* Morir es nada cuando por la patria se muere.

José María Morelos (mexicano)

* Para quien no ha tenido más actividad que la del espíritu, la tumba es la eliminación del obstáculo.

Víctor Hugo

* Aprende a vivir bien y sabrás morir mejor.

Confucio

* Al dejar este mundo y meternos la tierra adentro, por tan estrecha senda va el príncipe como el jornalero.

Cervantes

* Para todo hay remedio, si no es para la muerte.

Cervantes

* Morir no es otra cosa que cambiar de residencia.

Marco Aurelio

* La muerte es el último límite de todas las cosas.

Horacio

* Más espanta el aparato de la muerte que la muerte misma.

Bacon

* El que muere entra simplemente dentro de nosotros. Mientras vivía era algo exterior que obraba sobre nuestros sentidos. La muerte le ha dado —le ha devuelto, mejor dicho— la identidad espiritual con nuestro "yo". Nada, pues, nos acerca tanto a nuestros seres que el morir.

Amado Nervo (mexicano)

* La pálida muerte golpea igualmente el tugurio del pobre como el castillo del rey.

Horacio

* Ni el sol ni la muerte pueden contemplarse fijamente.

La Rochefoucauld

* La muerte no es más que un campo de misión.

Tolstoi

* La figura de la muerte, en cualquier traje que venga, es espantosa.

Cervantes

* La muerte no es más que un accidente de la vida universal; la inmortalidad la han inventado los hombres para consolarse de lo efímero de sus vidas.

Doctor Atl (mexicano)

* No le tengo miedo a la muerte, porque es una mujer.

  Emilio Fernández (mexicano)

* Los granos de trigo sepultados en tierra morirán, ya que la muerte es indispensable condición para renacer.

  Luis María Martínez (mexicano)

* Piensa que cada día que pasa puede ser el último.

  Horacio

* La muerte no viene más que una vez, pero se deja sentir en todos los momentos de la vida.

  La Bruyère

* A los muertos no les importa cómo son sus funerales. Las exequias suntuosas sirven para satisfacer la vanidad de los vivos.

  Eurípides

* La muerte es el instante en que la mariposa escapa de la oruga; en nuestro cuerpo el alma está larvada y es la muerte quien le otorga el ser.

  José Vasconcelos (mexicano)

* Tu cadáver te ha de alcanzar, no tengas cuidado.

  Jaime Sabines (mexicano)

* La vida es un paso a la muerte, nacimos para morir.

  Carlos Trouyet (mexicano)

* Cuando es bien empleada, la vida es suficientemente larga.

  Séneca

* El hombre que pide a los dioses la muerte es un loco; no hay en la muerte nada tan bueno como la miseria de la vida.

  Eurípides

* Es un hombre innoble el que no sabe morir. Yo lo he sabido desde los quince años.

  Beethoven

* La muerte abre la puerta a la buena reputación y extingue la envidia.

Francis Bacon

* La muerte es un castigo para algunos, para otros un regalo y para muchos un favor.

Séneca

* La muerte no es el más grande de los males; es peor querer morir y no poder hacerlo.

Sófocles

* Muero cada día. No hay nada nuevo en ello.

José Luis Cuevas

MUJER

* Cuando una mujer bella elogia la belleza de otra, puede estar segura de que es más hermosa que la elogiada.

    La Bruyère

* De la mujer puede decirse que es un hombre inferior.

    Aristóteles

* Para las mujeres todo es posible.

    Ignacio Manuel Altamirano (mexicano)

* Joven o vieja, bella o fea, frívola o austera, la mujer sabe siempre el secreto de Dios.

    Amado Nervo (mexicano)

* Donde no hay mujeres no existen los buenos modales.

    Goethe

* El defecto fundamental del carácter femenino consiste en que no tiene sentido de la justicia.

    Schopenhauer

* El eterno femenino nos impulsa hacia arriba.

    Goethe

* El hombre quiere que la mujer sea pacífica; pero en realidad es esencialmente belicosa como el gato.

    Nietzsche

* El mejor adorno de una mujer lo constituye el silencio y la modestia.

Eurípides

* En su primera pasión, la mujer está enamorada del ser amado; en todas las demás, sólo enamorada del amor.

Lord Byron

* El enemigo es el hombre; la amiga, la mujer.

José Luis Cuevas (mexicano)

* Nada puedo entender ni sentir sino a través de la mujer.

Ramón López Velarde (mexicano)

* No existe censor más terrible para una mujer, que otra mujer.

María Elvira Bermúdez (mexicana)

* Fragilidad, tu nombre es mujer.

Shakespeare

* Hay pocas mujeres cuyos encantos sobrevivan a su belleza.

La Rochefoucauld

* La Biblia dice que la mujer fue la última cosa que Dios creó. Es evidente que la creó en la noche del sábado; revela su fatiga.

Alejandro Dumas, hijo

* La manera de conducirse con una mujer consiste en hacerle el amor si es bonita y en hacérselo a otra si no lo es.

Oscar Wilde

* Las mujeres ganan las discusiones con tres argumentos únicamente: sí porque sí; no porque no y sí pero no.

Luis Lara Pardo (mexicano)

* La mujer se resiste a seguir las buenas reglas de la vida. Se empeña en darnos a los hombres lo que no le pedimos y así, nos ofrece su alma cuando queremos su cuerpo, o su cuerpo, cuando queremos su alma.

Rodolfo Usigli (mexicano)

* La mujer es como la hiedra, que crece en todo su esplendor mientras se enrosca al árbol, pero no vale nada cuando se le separa de él.

Molière

* La mujer fue el segundo error de Dios.

Nietzsche

* La mujer nos inspira grandes cosas ...y nos impide realizarlas.

Alejandro Dumas, hijo

* La mujer paga su deuda con la vida, no por lo que hace, sino por lo que sufre.

Schopenhauer

* Las mujeres han sido siempre protestas pintorescas contra la simple existencia del sentido común.

Oscar Wilde

* La mujer es distinta del varón y debe afirmar su diferencia, en vez de aspirar a igualarse.

Antonieta Rivas Mercado (mexicana)

* Las mujeres toman la forma del sueño que las contiene.

Juan José Arreola (mexicano)

* Las mujeres no son otra cosa que máquinas de producir hijos.

Napoleón

* Las mujeres son cuadros; los hombres, problemas. Si quieres saber lo que realmente significan las mujeres, contémplalas, no las escuches.

Oscar Wilde

* No debe depositarse ninguna confianza en las mujeres.

Homero

* Siempre que lo que se disputa en el juego no es ni el amor ni el odio, las mujeres juegan torpemente.

Nietzsche

* Una mujer siempre está comprando algo.

   Ovidio

* Las mujeres sólo resultan deseables en muy escasos momentos. Y lo único malo es que esos momentos son precisamente los más trascendentales de la vida.

   Renato Leduc (mexicano)

* La mujer no necesita como el hombre hacer la filosofía de la vida; le basta con saberla y vivirla.

   José Romano Muñoz (mexicano)

* La mujer es un lujo necesario.

   Nikito Nipongo (mexicano)

* ¿Vas con las mujeres?, no olvides el látigo.

   Nietzsche

* Una mujer hermosa agrada a la vista; una mujer buena agrada al corazón; la primera es una joya, la segunda un tesoro.

   Napoleón

* Una mujer no es la misma para dos.

   Anatole France

* A veces ocurre con las mujeres lo mismo que sucedió con América: unos las descubren y otros les dan su nombre.

   Marco Antonio Almazán (mexicano)

* Más sabe la mujer por diabla que por vieja.

   Nikito Nipongo (mexicano)

* La mujer obedece ciegamente al que se apodera de sus sentidos.

   Anatole France

* La mujer es la reina del mundo y la esclava del deseo.

   Balzac

* En la venganza, como en el amor, la mujer es más bárbara que el hombre.

   Nietzsche

* El único medio que tiene la mujer para reformar a un hombre, es fastidiarle de tal modo que le haga perder todo posible interés en la vida.

Oscar Wilde

* Tanto las mujeres bien formadas como las bien informadas son sumamente peligrosas.

Marco Antonio Almazán (mexicano)

* No llevéis vuestro feminismo hasta el grado de que queráis convertiros en hombres; no es esto lo que deseamos; entonces se perdería todo el encanto de la vida.

Justo Sierra (mexicano)

* Me acuso formalmente de no haber comprendido a la mujer en la tierra. Me acuso formalmente de ser hombre.

Juan José Arreola (mexicano)

* ¿Qué espíritu soñador no ha sentido la íntima dominación, el imán insólito de sus mujeres singularmente expresivas y fascinantes?

Rubén Darío

* Las costumbres hacen leyes, las mujeres hacen las costumbres; las mujeres, pues, hacen las leyes.

Montesquieu

* La prueba del oro es el fuego; la prueba de la mujer es el oro y la prueba del hombre es la mujer.

Benjamín Franklin

* La naturaleza sólo hace mujeres cuando no puede hacer hombres.

Aristóteles

* Lo más bello que esta vida puede brindar a un varón es la mujer.

José Luis Cuevas (mexicano)

* La presencia femenina es la mitad del mundo, el lugar donde el hombre toca tierra, la intensidad, la realidad.

Homero Aridjis (mexicano)

* Ante la mujer se tienen más preguntas que respuestas.

Gustavo Sáinz (mexicano)

* La mujer más insigne es la que mayor número de hijos le da a la patria.

Napoleón

* Guárdate de las mujeres hasta los veinte años y aléjate de ellas después de los cuarenta.

Alejandro Dumas, hijo

* La mujer es un diablo muy perfeccionado.

Víctor Hugo

* La mujer nos agrada porque nos domina y nosotros les agradamos porque nos sometemos a su imperio.

Molière

* La mujer está más maltratada por la civilización que por la naturaleza.

Rousseau

* Cuando las mujeres buscan a un hombre capaz de llenar el vacío que hay en su vida, generalmente se refieren al de su guardarropa.

Marco Antonio Almazán (mexicano)

* Cuando dos se disputan a una mujer, siempre hay que compadecer al que se la lleva.

José Vasconcelos (mexicano)

* Como la sal para la sopa, el hombre está hecho para la mujer o viceversa.

Salvador Novo (mexicano)

* Hay mujeres que no saben cocinar, sin embargo, tienen fritos a sus maridos.

Marco Antonio Almazán (mexicano)

* Las mujeres han sido hechas para ser amadas, no para ser comprendidas.

Oscar Wilde

* Naturalmente tiene la mujer ingenio presto para el bien y para el mal más que el varón.

Cervantes

* La mujer tiene el color y el perfume de las rosas, la limpidez y pureza del cristal y sobre todo, su fragilidad.

Lope de Vega

* La mujer se viste sobre todo para las demás mujeres.

Unamuno

* Las mujeres van a los espectáculos públicos, más que por ver, por que las vean.

Ovidio

* La mujer es la salvación o la perdición de la familia.

Amiel

* Toda mujer que ama es una mujer honesta.

Antonio Manero (mexicano)

* La vida de las mujeres puede dividirse en tres épocas: en la primera, sueñan con el amor; en la segunda, lo practican y en la tercera, lo echan de menos.

Marco Antonio Almazán (mexicano)

* El hombre siente inhabitable un mundo en el que la mujer intelectual no sea lo insólito, sino lo común y es que ese mundo, en efecto, no sería el más adecuado para la felicidad del hombre.

Jorge Cuesta (mexicano)

* Las mujeres son excesivas: mejores o peores que los hombres.

La Bruyère

* La mujer, corazón del mundo y poseedora inmortal de la rosa, la lira y la ciencia armoniosa, llena los ámbitos sin fin de los poemas.

Federico García Lorca

* Mientras una mujer pueda parecer veinte años más joven que su hija, es completamente feliz.

Oscar Wilde

* El alma de una mujer es la obra maestra de la creación.

Confucio

* Sin la mujer la vida es pura prosa.

Rubén Darío

* Son las mujeres quienes hacen la opinión pública.

Tolstoi

* Pesimista es un hombre que piensa que todas las mujeres son malas. Y optimista es el que espera que sea cierto.

Marco Antonio Almazán (mexicano)

MÚSICA

* La capacidad para el dolor se desarrolla enormemente con la música y también la del goce.

José Vasconcelos (mexicano)

* La música es una revelación más alta que la ciencia y la filosofía.

Beethoven

* La música es el idioma universal.

Manuel Ponce

* La música es como una lengua universal que canta armoniosamente todas las sensaciones de la vida.

Molière

* La música es la esencia del orden y eleva a todas las almas hacia lo bueno, lo justo y lo bello. Debe ser para el alma lo que la gimnasia para el cuerpo.

Platón

* La música es la voz de lo infinito.

Campoamor

* La música compone los ánimos descompuestos y alivia los trabajos que nacen del espíritu.

Cervantes

* Por la música, las pasiones gozan de ellas mismas.

Nietzsche

* La música puede definirse como la ciencia de los amores entre la armonía y el ritmo.

    Platón

* No debemos llamar la música con otro nombre que el de la hermana de la pintura, ya que está subordinada al oído, sentido que viene después de la visión. Ella compone la armonía, mediante la conjunción de sus partes proporcionales en un mismo tiempo, está obligada a nacer en uno o varios espacios armónicos; esos espacios circundan la proporcionalidad de los miembros que la componen, a la manera como lo hace el contorno de los miembros que constituyen la belleza humana.

    Leonardo da Vinci

* Donde hay música no puede haber cosa mala, si la música lo es y no cencerrea.

    Cervantes

* Gloria a la música antigua, a la melodiosa ópera romántica, a los maestros que nos deleitan sin fatigarnos mucho el cerebro con el vapor del arte. Las músicas nuevas y sabias son para la cabeza; las que encantaron a nuestro abuelo son para el corazón.

    Rubén Darío

* La auténtica creación tiene que ser espontánea y en ese mismo tanto, será de hecho surrealista: no se puede decidir conscientemente sobre la música que va uno a crear, del mismo modo que no puede uno decidir qué va a soñar en la noche.

    Carlos Chávez (mexicano)

* El músico escucha voces celestes.

    Salvador Díaz Mirón (mexicano)

* La música, siempre que no sea simple artificio de sabias combinaciones sonoras, sino contemplativa y evocadora, complementa el espíritu, haciéndolo que viva en el ambiente de lo infinito.

    Ezequiel A. Chávez (mexicano)

NIÑOS

---

* Los niños no tienen pasado ni porvenir y lo que apenas acaece, gozan el presente.

La Bruyère

* Los niños son la esperanza del mundo.

José Martí

* El niño ve lo que somos a través de lo que queremos ser; de ahí viene su reputación de fisonomistas.

Amiel

* El medio mejor para hacer buenos a los niños, es hacerlos felices. *IMP*

Oscar Wilde

* Debe preguntarse a los niños y a los pájaros cómo saben las cerezas y las fresas.

Goethe

* La infancia conoce el corazón humano.

Edgar Allan Poe

* La infancia es despiadada.

La Fontaine

* La infancia es el sueño de la razón.

Rousseau

Muy int

* Lloramos al nacer porque venimos a este escenario de dementes.

Shakespeare

* Los niños están dotados de razón hasta que pueden hablar; pero se les llama criaturas racionales por la posibilidad aparente de que harán uso de la razón en un tiempo futuro.

Thomas Hobbes

OLVIDO

* ¡Es tan corto el amor y tan largo el olvido!

Pablo Neruda

* El olvido es el sudario de los muertos.

George Sand

* El remedio de las injurias, es el olvido de ellas.

Proverbio español

* Querer olvidar a alguno es pensar en él.

La Bruyère

* Olvido es señal de menosprecio y por tanto, causa de enojo.

Aristóteles

* Podemos olvidar lo que traído a la memoria nos entristece.

Séneca

* Un instante y habrás olvidado todo; otro instante todavía y todos te habrán olvidado.

Marco Aurelio

* No hay recuerdo que el tiempo no borre ni pena que la muerte no acabe.

Cervantes

PASIÓN

* El amor, ante todo y sobre todo, es dador de placer. Entonces ¿no es aberrante sujetarlo a la desdicha del avergonzamiento y el miedo?

  Raúl Prieto (mexicano)

* Quien no se apasiona no ama.

  José Cárdenas Peña (mexicano)

* Cuando la violencia de las pasiones mengua y su fuego se amortigua, el hombre se ve libre de un pelotón de tiranos.

  Sófocles

* No podemos evitar las pasiones, pero sí vencerlas.

  Séneca

* Si resistimos a nuestras pasiones es más por su debilidad que por nuestra fuerza.

  La Rochefoucauld

* La pasión es una emoción del alma opuesta a la receta de la razón de la naturaleza.

  Zenón

* Las pasiones son virtudes o defectos exagerados.

  Goethe

* La ambición de dominar los entendimientos es la más violenta de las pasiones.

  Napoleón

* Para que las pasiones no nos torturen, obremos como si sólo contásemos con ocho días de vida.

Pascal

* Las pasiones son, comparadas al gusto, lo que el hambre es al apetito.

Voltaire

* El placer del amor consiste en amar y se es más feliz por la pasión que se siente que por la que se inspira.

La Rochefoucauld

* Si se mata por la pasión, se mata con ella todo a la vez: el goce y el dolor, el sufrimiento y la voluptuosidad, el bien, el mal, la belleza y por fin y sobre todo, la virtud.

Anatole France

* Muchas veces la pasión torna necio al hombre más cuerdo y cuerdo al más necio.

La Rochefoucauld

* La pasión es como el dolor, y como el dolor, crea su objeto. Es más fácil al fuego hallar combustible que al combustible fuego.

Unamuno

* Las pasiones moderadas son el alma de la sociedad; sin freno son su ruina.

Federico el Grande

* Dadme un hombre que no sea esclavo de sus pasiones y yo le colocaré en el centro de mi corazón; sí, en el corazón de mi corazón.

Shakespeare

* Las pasiones son los únicos oradores que persuaden siempre.

La Rochefoucauld

PATRIA

---

* Es tan natural al hombre el adherirse a su patria y aficionarse al lugar de su nacimiento, al aire mismo de su país, a los alimentos, las costumbres y usos de los que le rodean, que no puede desprenderse de estas cosas sino a fuerza de duros tratamientos, de injusticia y de indignidades.

    Benjamín Franklin

* Cuando se trate de la salud de la patria, es un crimen titubear en arriesgar su vida.

    Confucio

* Dulce y noble cosa es morir por la patria.

    Horacio

* Se puede abandonar la patria dichosa y triunfante, pero amenazada, destrozada y oprimida, no se le deja nunca. Se le salva o se muere por ella.

    Robespierre

* La patria es primero.

    Vicente Guerrero (mexicano)

* Cuando la patria sea injusta contigo, haz como una madrastra: toma el partido del silencio.

    Pitágoras

* El que no ama a su patria, no puede amar nada.

Lord Byron

* Mi primer deber es hacia el suelo que ha compuesto mi cuerpo y mi alma de sus propios elementos; en calidad de hijo debo dar mi vida y mi alma misma por mi madre.

Simón Bolívar

* Ninguno ama a su patria por ser grande, sino por ser suya.

Séneca

* La patria es impecable y diamantina.

Ramón López Velarde (mexicano)

* Para servir a la patria nunca sobra el que llega ni hace falta el que se va.

Venustiano Carranza (mexicano)

* La primera honda lección de patriotismo se recibe cuando se logra cobrar conciencia clara y arraigada del paisaje de la patria, después de haberlo hecho estado de conciencia, reflexionar sobre éste y elevarlo a idea.

Unamuno

* La patria es más digna de respeto y de veneración que una madre y todos los parientes juntos, supuesto que ella abraza todo lo que la naturaleza tiene de más estimable y más sagrado.

Sócrates

* La patria de cada hombre es el país donde mejor se vive.

Aristóteles

* El amor a la patria es más patente que la razón misma.

Ovidio

* Debemos amar a nuestro país aunque nos trate injustamente.

Voltaire

* No existen países pequeños. La grandeza de un pueblo no se mide por el número de sus componentes, como no se mide por su estatura la grandeza de un hombre.

Víctor Hugo

* La patria es de sus dueños, entre los que por supuesto no figura el pueblo.

Nikito Nipongo (mexicano)

* La patria no es una realidad histórica o política sino íntima.

Ramón López Velarde (mexicano)

* ¡Cuán querida es de todos los corazones buenos su tierra natal!

Voltaire

PAZ

* La ley primera y fundamental de la naturaleza es buscar la paz.
Thomas Hobbes

* Una mala paz es todavía peor que la guerra.
Tácito

* Nunca ha habido una buena guerra ni una mala paz.
Benjamín Franklin

* No debe considerarse válido ningún tratado de paz en el que haya reservas tácitas para preparar, una guerra futura.
Kant

* La paz consiste, en gran parte, en el hecho de desearla con toda el alma.
Erasmo

* Mejor y más segura es una paz cierta que una victoria esperada.
Tito Livio

* La paz del alma es la mayor riqueza.
Campoamor

* El primero de los bienes, después de la salud, es la paz interior.
La Rochefoucauld

* La Paz de hecho no es la paz de principio.
Amiel

* Hay algo tan necesario como el pan de cada día y es la paz de cada día; la paz, sin la cual el mismo pan es amargo. "Danos, Señor, la paz de cada día", deberíamos añadir al Padre Nuestro.

Amado Nervo (mexicano)

* Es la paz el verdadero fin de la guerra, porque el fruto de la guerra en la paz felicísima se encierra.

Cervantes

* Estar preparados para la guerra es uno de los métodos más eficaces para preservar la paz.

George Washington

* Aborrece el Señor el pecado del hombre pecador, mas no la naturaleza que le dio.

San Agustín

* La paz con la esclavitud es más pesada carga que la guerra con libertad.

Maquiavelo

* Si deseas la paz, está siempre preparado para la guerra.

Proverbio latino

PENSAMIENTO

* El pensamiento nos consuela de todo y todo lo remedia; si alguna vez os hace mal, pedidle el remedio de éste y os lo dará.

  Pascal

* Del asombro sale el pensamiento.

  Platón

* Pensar es recogerse en una impresión, destacarla dentro de nosotros mismos y proyectarla en un juicio personal.

  Amiel

* La palabra ha sido dada al hombre para explicar su pensamiento y así como los pensamientos son retratos de las cosas, nuestras palabras son retratos de nuestros pensamientos.

  Molière

* La naturaleza repite eternamente el mismo pensamiento, ampliándolo cada vez más. Por eso la gota es imagen del mar.

  Hebbel

* El pensamiento no es más que un soplo, pero este soplo revuelve al mundo.

  Víctor Hugo

* Sucede con el pensamiento lo que con el telar: en él basta un solo impulso para poner en juego millares de hilos.

  Goethe

* Quien no quiere pensar, es un fanático; quien no puede pensar, es un idiota; quien no osa pensar, es un cobarde.

Bacon

* El leer sin pensar nos hace una mente desordenada y el pensar sin leer nos hace desequilibrados.

Confucio

* No tenemos ningún buen pensamiento sin Dios.

Séneca

* El pensamiento es una cosa admirable e incomparable por naturaleza.

Pascal

* Quizá uno de los más temibles pensamientos, el más temible acaso antes de morir, sea éste: he vivido en vano.

Amado Nervo (mexicano)

* Los pensamientos no son más que sueños, en tanto que no se ponen a prueba.

Shakespeare

* El pensamiento es la semilla de la acción.

Emerson

PODER

* Cuando un hombre tiene la posibilidad del poder, es cuando tiene *MUI* la posibilidad de mostrarse como es. *IMP*

  Luis Spota (mexicano)

* En México, el poder es una borrachera de seis años y una cruda implacable para el resto de la vida.

  Anónimo

* El poder, por el hecho de ser incompartible, se disfruta a solas.

  Luis Spota (mexicano)

* Cuanto mayor es el poder, tanto más daña si recae en un hombre malo o necio.

  Erasmo

* Sólo el que manda con amor es servido con fidelidad.

  Quevedo

* La sonrisa de la belleza tiene mayor poder que la inteligencia de los sabios.

  Marcel Prevost

* Es bueno mandar, aunque sea a un hato de ganado.

  Cervantes

* No hay más que un poder: la conciencia al servicio de la injusticia; no hay más que una gloria: el genio, al servicio de la verdad.

Víctor Hugo

* Todo poder es deber.

Víctor Hugo

* Cualquier poder, si no se basa en la unión, es débil.

La Fontaine

* Poco hay que esperar de los poderosos, porque éstos se respetan, porque se temen y los débiles son los únicos sacrificados, si por sí solos no procuran escarmentar a sus opresores.

Benito Juárez (mexicano)

* Manda el que puede y obedece el que quiere.

Proverbio italiano

* La posesión del poder por inmenso que sea, no da la ciencia de poder utilizarlo.

Balzac

POESÍA, POETAS

* La poesía es tan grata al oído como el sueño al hombre fatigado.

  Virgilio

* El hombre sordo a la voz de la poesía es un bárbaro, sea quien sea.

  Goethe

* La poesía es revelación de la condición humana y consagración de una experiencia histórica concreta.

  Octavio Paz (mexicano)

* ¿Cómo leer poesía? No hay receta posible. Cada lector es un mundo, cada lectura diferente.

  Gabriel Zaid (mexicano)

* El verdadero poeta lleva orgánicamente la poesía en carne, hueso y alma.

  Elías Nandino (mexicano)

* Los grandes poetas no necesitan un lector indulgente; agradan a cualquiera por difícil que sea de complacer.

  Ovidio

* La poesía es revelación. En el pecho del poeta danza su ronda toda la humanidad con su alegría y su dolor y toda historia suya es un evangelio, en el que se anuncian todas las realidades profundas que determinan una existencia o un estado de existencia.

Hebbel

* La poesía siempre es lo lejano.

Amiel

* La poesía es un arte más fino y más filosófico que la historia, pues la poesía expresa lo universal, y la historia, sólo lo particular.

Aristóteles

* Se ha debatido mucho si un poema es el resultado de la naturaleza o del arte. Por mi parte, no veo que podría hacer el arte sin la ayuda de la naturaleza, ni ésta sin el arte. Ambas necesitan ayudarse mutuamente y deben estar siempre estrechamente unidas.

Horacio

* La poesía amorosa sólo interesa a quienes están enamorados, o a los que acaban de estarlo.

José Carlos Becerra (mexicano)

* Enamorado del silencio, el poeta no tiene más remedio que hablar.

Octavio Paz (mexicano)

* Yo definiría la poesía de las palabras como la creación rítmica de la belleza. Su único árbitro es el gusto. Con el intelecto o con la conciencia sólo tiene relaciones colaterales. A no ser incidentalmente, no tiene nada que ver ni con el deber ni con la verdad.

Edgar Allan Poe

* No hay poemas morales o inmorales. Los poemas están bien o mal escritos; eso es todo.

Oscar Wilde

* Todo hombre es poeta cuando está enamorado.

Platón

* Cuando canto sufro en la tierra,
yo soy poeta y de dentro me sale la tristeza.

Nezahualcóyotl (mexicano)

* Leerla (la poesía) es un acto tan creativo y muchas veces más, que escribirla.

José Joaquín Blanco (mexicano)

* La poesía ha sacado a la luz la inmensidad de los mundos que encierra nuestro mundo.

José Gorostiza (mexicano)

* Para mí la poesía no ha sido un propósito, sino una pasión.

Edgar Allan Poe

* El poeta debe preferir las imposibilidades probables a las posibilidades improbables.

Aristóteles

* Nunca he conocido un poeta que no tenga un alto concepto de sí mismo.

Cicerón

* Los poetas han sido los primeros maestros del género humano.

Horacio

* El poeta nace, no se hace.

Floro

* La poesía, como toda expresión del alma, es liberación.

Jaime Torres Bodet (mexicano)

* El poeta debe estar lleno del espíritu santo de los presagios.

Salvador Díaz Mirón (mexicano)

* La poesía es el descubrimiento, el resplandor de la vida, el contacto instantáneo y permanente con la verdad del hombre.

Jaime Sabines (mexicano)

* Siempre que un poeta alaba los versos de otro poeta, se puede estar seguro de que son estúpidos y carecen de verdadero valor.

La Bruyère

* Siendo poeta, podrá ser famoso si se guía más por el parecer ajeno que por el propio; porque no hay padre ni madre a quien sus hijos le parezcan feos y en los que son del entendimiento corre más este engaño.

Cervantes

* Un gran poeta es la joya más preciosa de una nación.

Beethoven

* El poeta es el espectador de todos los tiempos y de toda la existencia. Para él no hay formas anticuadas ni temas pasados de moda.

Oscar Wilde

* El poeta nace, la inclinación diósela el cielo, sin más estudio ni artificio; el natural poeta se ayudará del arte y se aventajará con la naturaleza, porque mezcladas la naturaleza y el arte, se confecciona un perfectísimo poeta.

Cervantes

* La prosa es una representación de lo que se ha pensado, la poesía de lo que se ha vivido.

Hebbel

* El poeta no es la poesía, como el grano no es la flor.

Balzac

* La poesia es poner la vida en palabras.

Homero Aridjis (mexicano)

* La poesía de mañana, después de la catástrofe del mundo, habrá de ser reflejo del temblor universal.

Enrique González Martínez (mexicano)

* No es que el poeta busque la soledad, es que la encuentra.

Rosario Castellanos (mexicana)

* El verso, hijo de la emoción, ha de ser fino y profundo, como una nota de arpa. No se ha de decir lo raro, sino el instante raro de la emoción noble y gloriosa.

José Martí

* La poesía es algo que anda por las calles. Que se mueve, que pasa a nuestro lado. Todas las cosas tienen su misterio y la poesía es el misterio que tienen todas las cosas.

García Lorca

* Todo aquél que empieza a amar y a soñar, habla en verso aunque no lo haga.

Rubén Darío

* La verdadera poesía es la que finge más y los amantes son dados a ella; todo lo que juran en verso, puede decirse que lo fingen como amantes.

Shakespeare

* Frente a la religión, que sólo existe si se socializa en una iglesia, en una comunidad de fieles, la poesía se manifiesta sólo si se individualiza, si encarna en un poeta.

Octavio Paz (mexicano)

* La poesía debe parecerse al oro puro. El pensamiento es el peso, el título la corrección, y el sonido la armonía.

Voltaire

* Los poetas hablan consigo mismo en voz alta. Y el mundo los oye por casualidad.

Bernard Shaw

* Una vez "Corán" y otra vez poesía.

Mahoma

* La naturaleza debe ser el punto de partida del poeta, y no su punto de llegada.

Hebbel

* Nada envejece tan pronto, salvo una flor, como puede envejecer la poesía.

José Gorostiza (mexicano)

* La palabra siempre tiene la palabra y si es palabra poética, mejor.

Efraín Huerta (mexicano)

* Es trabajo especial del poeta hacerle el amor al universo.

Marco Antonio Montes de Oca (mexicano)

POLÍTICA

* La política es una rara agricultura: unos aran la tierra y la cultivan y otros recogen los frutos.

  José Fuentes Mares (mexicano)

* Dadme buena política y os daré mejores finanzas.

  Mariano Arista (mexicano)

* Libertad, orden y progreso; la libertad como medio, el orden como base y el progreso como fin.

  Gabino Barreda (mexicano)

* En política, la línea recta es la más corta.

  Benito Juárez (mexicano)

* En política, la línea recta casi nunca es la más cercana entre dos puntos.

  Jesús Reyes Heroles (mexicano)

* He aquí un motivo de error en la política: no pensar más que en sí y en el presente.

  La Bruyère

* Divide y dominarás.

  Filipo de Macedonia

* El político mexicano confunde la oratoria con la política.

  Luis Spota (mexicano)

* Si se suprimen las mentiras y las sandeces de los discursos políticos quedan sólo comas, puntos y etcéteras.

    Nikito Nipongo (mexicano)

* No hay verdadero político sin filosofía, aun cuando el político se defina por sus actos, ignorando el pequeño filósofo que lleva dentro.

    José Fuentes Mares (mexicano)

* Entre los individuos como entre las naciones, el respeto al derecho ajeno es la paz.

    Benito Juárez (mexicano)

* La más estricta justicia no creo que sea siempre la mejor política.

    Abraham Lincoln

* Si el partido principal, sea el pueblo, el ejército o la nobleza, que os parece más útil y más conveniente para la conservación de vuestra dignidad está corrompido, debéis seguirle el humor y disculparlo. En tal caso, la honradez y la virtud son perniciosas.

    Maquiavelo

* El incienso huele bien, pero acaba por tiznar al ídolo.

    Luis Cabrera (mexicano)

* Las multitudes siguen con más facilidad a las ambiciones que las sacrifican que a los principios que las emancipan.

    Práxedis Guerrero (mexicano)

* En política, el que se equivoca para atrás muere y el que se equivoca para adelante tiene el porvenir asegurado.

    Vicente Lombardo Toledano (mexicano)

* Más vale una que dos guerras.

    Benito Juárez (mexicano)

* Que se mutilen y sucumban los hombres por los principios, pero que no sucumban ni se mutilen los principios por los hombres.

    Alvaro Obregón (mexicano)

* La nación son unos cuantos.

Carlos Monsiváis (mexicano)

* Nada va bien en un sistema político en el que las palabras contradicen a los hechos.

Napoleón

* La política es quizá la única profesión para la que no se considera necesaria ninguna preparación.

Stevenson

* El poder político es simplemente el poder organizado de una clase para oprimir a otra.

Marx

* Hay políticos que se dan baños de pobreza.

Marco Antonio Almazán (mexicano)

* En el gallinero de la política, la gallina más alabada no es la que pone el mejor huevo sino la que mejor sabe cacarearlo.

Plutarco Elías Calles (mexicano)

* La política es el arte de impedir que la gente se meta en lo que sí le importa.

Marco Antonio Almazán (mexicano)

* ¿Qué fue primero: la crisis o las soluciones ineficaces?

Carlos Monsiváis (mexicano)

* Para nuestros juristas el Derecho es la ley. Las leyes no les han permitido ver la justicia.

Manuel Gómez Morán (mexicano)

* En México, Dios muere cada seis años.

José Fuentes Mares (mexicano)

* Ese potro de tormentos que se llama la silla presidencial.

Matías Romero (mexicano)

* México es una mitocracia.

Jorge Hernández Campos (mexicano)

* Entre un hombre que puede ser un buen presidente pero que es un mal candidato y otro que es un buen candidato aun cuando no podrá ser tan buen presidente como el primero, el partido nunca vacila: opta por este último.

Alfonso Reyes (mexicano)

* Donde mejor está un expresidente es en el olvido.

Nikito Nipongo (mexicano)

PRENSA

* Noble oficio el periodismo cuando la mano de quien lo ejerce es limpia y valiente.

  José Alvarado (mexicano)

* En el olor de la tinta impresa hay todo el ensueño suficiente para disipar el desencanto.

  José Alvarado (mexicano)

* Generalmente engañar es lo que se entiende por informar al pueblo.

  Nikito Nipongo (mexicano)

* La pluma del cronista debe tener dientes que muerdan de cuando en cuando, pero sin hacer sangre.

  Luis G. Urbina (mexicano)

* La emisión de las ideas por la prensa debe ser tan libre, como es libre en el hombre la facultad de pensar.

  Benito Juárez (mexicano)

* El periodismo es actividad puntiaguda, plena de escollos que sólo el más sabio puede sortear y esquivar.

  Andrés Henestrosa (mexicano)

* Teóricamente nuestros periódicos pueden decir lo que quieren: prácticamente dicen lo que pueden.

Octavio Paz (mexicano)

* La prensa mexicana es una prensa libre que no usa su libertad.

Daniel Cosío Villegas (mexicano)

PRUDENCIA

* El hombre prudente se prepara siempre para lo que está fuera de su control.

  Pitágoras

* Considera a aquél con quien hablas como superior, igual o inferior; debes escucharle y convencerte; si como igual, si concuerda con tus opiniones; si como inferior, convéncele.

  Epicteto

* Nuestra prudencia está tan sujeta a la fortuna como nuestros bienes.

  La Rochefoucauld

* Hay pocas virtudes sin prudencia.

  Cicerón

* Una de las partes de la prudencia es que lo que se puede hacer por bien no se haga por mal.

  Cervantes

* No hay más cierta astrología que la prudencia.

  Cervantes

* Tanta prudencia se necesita para gobernar una casa como un imperio.

  Emerson

* El hombre prudente, aun con el semblante reprende.

Proverbio español

* El hombre apercibido vale por dos.

Fernando de Rojas

* La prudencia es propiamente virtud de príncipes.

Aristóteles

* Prudencia es saber distinguir las cosas que se pueden desear, de las que se deben de evitar.

Cicerón

* La prudencia es el ojo de todas las virtudes.

Pitágoras

* El prudente, más debe temer al juicio de pocos sabios que de muchos ignorantes.

Platón

* Antes de buscar los bueyes, busca el arado.

Benjamín Franklin

* Como la medicina es el arte de la salud, así la prudencia es el arte del saber vivir.

Cicerón

* La moderación es el mayor de los bienes.

Rubén Darío

RELIGIÓN

* La religión es la cadena de oro que sujeta la tierra al trono del Eterno.

Homero

* Las sagradas escrituras son la suprema verdad.

Leonardo da Vinci

* La experiencia demuestra que el hombre no puede ser virtuoso sin la religión.

Rousseau

* La religión une a los hombres en Dios.

San Agustín

* La palabra de Dios abre los ojos a los ciegos.

Quevedo

* La religión es amor y porque es amor, es poesía.

Béquer

* La religión es la que nos da a conocer a Dios; si le conocemos bien, es imposible que le dejemos de amar.

Luis Vives

* La religión no se suprime suprimiendo la superstición.

Cicerón

* Los hombres sienten desprecio por la religión y temor porque sea cierta. Para remediar esto, es necesario empezar por demostrar que la religión no es contraria a la razón; después, que es venerable y digna de respeto; a continuación, hacerla amable e inducir a los buenos a desear que sea cierta y por último, probar que lo es.

Pascal

* La religión es el ídolo de la muchedumbre; ésta adora todo ello que no comprende.

Federico el Grande

* No hay quien comprenda mejor las verdades de la religión que los que han perdido la facultad de razonar.

Voltaire

* La religión y la moral ponen un freno a las energías de la naturaleza, pero no las destruyen. El borracho encerrado en un claustro y reducido a medio jarro de sidra para cada comida, ya no se emborrachará, pero no por ello dejará de gustarle el vino.

Voltaire

* Una nación debe de tener una religión y esta religión debe hallarse bajo el control del gobierno.

Napoleón

* Yo creería en una religión si existiera desde el comienzo de los tiempos; pero cuando pienso en Sócrates, Platón y Mahoma, ya no creo. Todas las religiones han sido hechas por los hombres.

Napoleón

* Las religiones, como las luciérnagas, necesitan de oscuridad para brillar.

Schopenhauer

* La religión es el opio del pueblo.

Carlos Marx

* Yo estoy al lado de la religión en contra de las religiones.

Víctor Hugo

* El hombre religioso sólo piensa en sí mismo.

Nietzsche

* En cuestión de religión, la verdad es simplemente la opinión que ha sobrevivido.

Oscar Wilde

* La verdad de la religión estriba en su propia oscuridad, en la escasa luz que tenemos sobre ella y en nuestra indiferencia por esa luz.

Pascal

* Las religiones mueren cuando se demuestra que son verdaderas. La ciencia es el archivo de las religiones muertas.

Oscar Wilde

* Un hombre sin religión es como un caballo sin freno.

Proverbio latino

* Donde hay religión se presumen todos los bienes; donde falta, hay que presumir lo contrario.

Maquiavelo

* El que deseche la religión quita los fundamentos de la sociedad humana.

Platón

* Poca filosofía aparta de la religión, mucha filosofía lleva a ella.

Bacon

* No tengo fe. La fe es patrimonio de los idiotas.

Diego Rivera (mexicano)

* Aun cuando no tuviéramos por divina a la religión católica, la consideramos como el último lazo que liga a todos los mexicanos cuando todos los demás han sido rotos.

Lucas Alamán (mexicano)

REVOLUCIÓN

* Las revoluciones no son acerca de bagatelas, pero son producidas por bagatelas.

Aristóteles

* El culto a la revolución es una de las expresiones de la desmesura moderna.

Octavio Paz (mexicano)

* A lo más a que puede aspirar un revolucionario verdadero es a que digan de él, cuando haya desaparecido: fue un hombre.

Vicente Lombardo Toledano (mexicano)

* Hay una especie de revolución de carácter tan general que modifica los gustos así como los destinos del mundo.

La Rochefoucauld

* El arte de revolucionar y modificar los estados consiste en socavar las costumbres establecidas retrocediendo hasta sus orígenes para poner de manifiesto su falta de justicia.

Pascal

* Todo cuanto veo a mi alrededor está echando los simientes de una revolución que es inevitable, aunque yo no tendré el placer de verla. El relámpago está tan a la mano que puede surgir a la primera oportunidad y luego se oirá un trueno tremendo. Los jóvenes tienen suerte, pues han de ver cosas magníficas.

Voltaire

* En las democracias, las revoluciones son casi siempre obra de los demagogos.

Aristóteles

* La revolución es la revolución.

Luis Cabrera (mexicano)

* No hay nada imposible al calor de una revolución.

Lucas Alamán (mexicano)

* En las revoluciones todo se olvida. Los beneficios que otorgas hoy son olvidados mañana. Cuando cambian las cosas, se desvanece la gratitud, la amistad, el parentesco, todos los vínculos y lo único que se atiende es a satisfacer el propio interés.

Napoleón

* Uno de los principales síntomas de toda revolución es el repentino y brusco incremento del número de personas corrientes que toman parte activa, independiente y obligada en la política.

Lenin

* Cuando el gobierno viola los derechos del pueblo, la insurrección es, para el pueblo y para cada uno del pueblo, el más sagrado de los derechos y el más indispensable de los deberes.

La Fayette

* Una revolución es la larva de una civilización.

Víctor Hugo

* No hay más revolución que la del tiempo.

Unamuno

* En las revoluciones hay dos clases de personajes: los que las hacen y los que se aprovechan de ellas.

Napoleón

* Los volcanes arrojan piedras y las revoluciones hombres.

Víctor Hugo

* Las personas virtuosas y cultas difícilmente hacen una revolución porque están siempre en minoría.

Aristóteles

* La única revolución que se puede hacer es la revolución de ti mismo, con otros, alrededor de otros y ya de allí hacer otras revoluciones.

Héctor Manjarrez (mexicano)

* La manera más fácil de aparecer como revolucionario es exigirles a otros que lo sean.

José Emilio Pacheco (mexicano)

* Los menores suscitan revoluciones para conquistar igualdad y los iguales para superar a los demás.

Aristóteles

* Nunca hay una revolución social sin terror.

Napoleón

REY

* No hay un sólo rey que no descienda de un esclavo, ni un esclavo que no haya tenido reyes en su familia.

Platón

* Los reyes son como los maridos engañados; siempre son los últimos en saber el mal papel que les hacen desempeñar sus consejeros.

Napoleón

* El rey debe tener presente tres cosas: que gobierna hombres, que debe gobernarlos según la ley y que no gobernará siempre.

Eurípides

* Es imposible que un príncipe pueda ocultar sus defectos a los ojos del pueblo.

Federico el Grande

* Los males del mundo durarán hasta que los filósofos sean reyes o los reyes sean filósofos.

Platón

* Bueno para rey el que tiene de rey y de hombre.

Quevedo

* Los reyes son felices en muchas cosas, pero principalmente en esto: pueden decir y hacer lo que les parezca.

Sófocles

* El primer arte que debe de aprender un rey es a soportar la envidia.

Séneca

* Un rey es una persona que no teme nada ni desea nada.

Séneca

* Aunque los reyes obren bien, se hablará mal de ellos.

Marco Aurelio

* Es una triste condición tener pocas cosas que desear y muchas cosas que temer y sin embargo, tal suele ser el caso de los reyes.

Bacon

* El primer rey fue un soldado afortunado.

Voltaire

* Cuanto más feliz soy, más compadezco a los reyes.

Voltaire

* No hay rey que, teniendo fuerza suficiente, no esté siempre dispuesto a convertirse en absoluto.

Thomas Jefferson

* Los reyes son para aquellas naciones que están en pañales.

Víctor Hugo

RIQUEZA

* Fácilmente disipan su riqueza quienes la han adquirido sin fatiga.

  Francisco Javier Clavijero (mexicano)

* La riqueza es la cosa que más honran los hombres y la fuente de más grande poder.

  Eurípides

* El rico tiene muchos consuelos.

  Platón

* La verdadera medida de la riqueza es el no estar demasiado lejos de la pobreza.

  Séneca

* Las riquezas son verdaderas espinas; ellas punzan con mil penas al adquirirlas, con muchas inquietudes conservándolas, con muchos disgustos gastándolas y con muchos pesares perdiéndolas.

  San Francisco de Sales

* El camino más breve para enriquecerse es menospreciar las riquezas.

  Séneca

* Es tan difícil a los ricos adquirir la sabiduría, como a los sabios adquirir las riquezas.

Epicteto

* Nada contribuye a la alegría menos que la riqueza y nada contribuye más a ella que la salud.

Schopenhauer

* El rico implora una mirada, te contempla y de repente se ve pobre como un mendigo y rico como un príncipe.

Goethe

* Los defectos del mendigo son las cualidades del financiero.

Bernard Shaw

* El corazón del hombre es el que debe hacerse rico, no sus arcas.

Cicerón

* Las riquezas, o bien sirven o bien mandan al que las posee.

Horacio

* Si quieres ser rico, piensa en las economías tanto como en las ganancias.

Benjamín Franklin

* El más rico es el que con menos se contenta, pues natural riqueza es el contento.

Sócrates

* Tenemos lo que queremos, pues nos contentamos con lo que tenemos.

Cervantes

* Sé el dueño y no el esclavo de tus riquezas.

Publio Siro

* La riqueza no consiste en la posesión de los tesoros y sí en el uso que se debe hacer de ella.

Napoleón

* Es mejor el uso de las riquezas que la posesión de ellas.

Fernando de Rojas

* Quien más disfruta de sus riquezas es aquel que menos necesita de ellas.

Séneca

* La verdadera riqueza de un hombre está en la bondad que hace en el mundo.

Mahoma

* Acumular riquezas proporciona gran zozobra.

Horacio

* La virtud, la gloria, el honor, todas las cosas humanas y divinas, son esclavas de las riquezas.

Horacio

* Nada dura más que una fortuna moderada y nada llega antes a su término que una gran fortuna.

La Bruyère

* La riqueza ennoblece las circunstancias del hombre, pero no al hombre mismo.

Kant

* En un mundo feo y desdichado, el hombre rico no puede comprar nada más que fealdad y desdicha.

Bernard Shaw

* El carácter que produce la riqueza es el de un necio próspero.

Aristóteles

* La alta alcurnia y las hazañas meritorias, si no van unidas a la riqueza, son tan inútiles como las algas del mar.

Horacio

* Es empresa vana tratar de ridiculizar a un necio rico; las carcajadas están de su parte.

La Bruyère

* En casa llena presto se guisa la cena.

Refrán español

SABIDURÍA

---

* El temor del Señor es el comienzo de toda sabiduría.
  La Biblia, Libro de los Salmos

* Nuestra sabiduría no se encuentra menos a merced del azar que nuestra propiedad.
  La Rochefoucauld

* Las puertas de la sabiduría nunca están cerradas.
  Benjamín Franklin

* Yo amo a la sabiduría más de lo que ella me ama a mí.
  Lord Byron

* Después de los acontecimientos, hasta el necio es sabio.
  Homero

* Es una gran ventaja para el hombre sabio no parecerlo.
  Séneca

* Ningún hombre ha llegado nunca a ser sabio por casualidad.
  Séneca

* El hombre sabio procurará que sus actos parezcan voluntarios y no forzados, por mucho que pueda obligarle la necesidad de realizarlos.
  Maquiavelo

* Hasta el más sabio sólo muestra su sabiduría en cuestiones insignificantes, nunca en las verdaderamente importantes.

La Rochefoucauld

* El que sólo es sabio lleva una vida muy triste.

Voltaire

* La sabiduría es el único bien que no se pueden llevar los ladrones.

Benjamín Franklin

* La sabiduría es un adorno en la prosperidad y un refugio en la adversidad.

Aristóteles

* La sabiduría es hija de la experiencia.

Leonardo da Vinci

* El primer paso hacia la sabiduría es liberarse de la necedad.

Horacio

* La juventud es el tiempo de estudiar la sabiduría, así como la vejez es el tiempo de practicarla.

Rousseau

* O sabes que nada sabes, o lo ignoras; si lo ignoras no puedes afirmarlo, si lo sabes, sabes algo.

Cicerón

* Mucho sabe el que conoce su propia ignorancia.

Confucio

* Entiendo por sabiduría el arte de hacer la vida lo más agradable y feliz posible.

Schopenhauer

* La ventaja del saber estriba en poder escoger la línea de la mayor ventaja, en vez de seguir la dirección del menor esfuerzo.

Bernard Shaw

* La única cosa que sé, es saber que nada sé y esto cabalmente me distingue de los demás filósofos, que creen saberlo todo.

Sócrates

* Pensar y obrar, obrar y pensar es la suma de toda sabiduría.

Goethe

* El que sabe, aprende; el que no sabe, se dedica a la enseñanza.

Oscar Wilde

* No basta adquirir la ciencia, es necesario también usarla.

Cicerón

* El principio de la sabiduría no es el temor de Dios, bueno para siervos espirituales, sino el temor de nuestro yo inferior y el amor a Dios.

Amado Nervo (mexicano)

SEXO

---

* La represión sexual enajena a la gente y hace proliferar a los siquiatras.

  Edmundo Valadés (mexicano)

* ¡Oh, dulce concupiscencia de la carne! Refugio de los pecadores, consuelo de los afligidos, alivio de los enfermos mentales, diversión de los pobres, esparcimiento de los intelectuales, lujo de los ancianos.

  Jorge Ibargüengoitia (mexicano)

* Todo amor sin sexo es corruptible.

  Eduardo Lizalde (mexicano)

* El sexo se ha vuelto predicador público y su discurso es un llamado a la lucha: hace del placer un deber. Un puritanismo al revés.

  Octavio Paz (mexicano)

* El instinto sexual es inocente por naturaleza. Es la mente de algunos seres humanos la que lo prostituye y lo deforma.

  Bernardo J. Gastélum (mexicano)

* Dios que castigas la fornicación, ¿por qué no haces la prueba?

  José Emilio Pacheco (mexicano)

SILENCIO

---

* El silencio es el único amigo que jamás traiciona.

  Confucio

* La lengua guarda el pescuezo.

  Miguel Hidalgo (mexicano)

* Que hablen de uno, es espantoso; pero hay algo peor, que no hablen.

  Oscar Wilde

* No sabe hablar quien no sabe callar.

  Pitágoras

* Quien calla, otorga.

  Bonifacio VIII

* El silencio es retórica de amantes.

  Fernando Calderón

* La ciencia del silencio frente al cielo estrellado, la posee la flor y el insecto no más.

  García Lorca

* Sólo hay tres voces dignas de romper el silencio: la de la poesía, la de la música y la del amor.

Amado Nervo (mexicano)

* El silencio es el partido más seguro para aquél que desconfía de sí mismo.

La Rochefoucauld

TIEMPO

* El tiempo es la imagen móvil de lo eterno.

Platón

* El hombre ordinario sólo se cuida de pasar el tiempo; el hombre de talento, de emplearlo.

Schopenhauer

* Cada momento es único.

Goethe

* Todo sucede a cada uno, más tarde o más temprano, con tal de que se dé tiempo a que suceda.

Bernard Shaw

* No hay nada hecho por la mano del hombre que tarde o temprano el tiempo no destruya.

Cicerón

* Si amas la vida, economiza el tiempo, porque de tiempo se compone la vida.

Benjamín Franklin

* Quien no aplique nuevos remedios debe esperar nuevos males; porque el mayor innovador es el tiempo.

Bacon

* El tiempo cura lo que la razón no puede curar.

Séneca

* El tiempo borra las opciones, pero confirma el juicio de la Naturaleza.

Cicerón

* El tiempo es un magistrado muy antiguo, que más tarde o más temprano llama a todos al tribunal.

Shakespeare

* Dejemos al tiempo que haga de las suyas, que es el mejor médico de éstas y otras enfermedades.

Cervantes

* Sólo falta tiempo al que no sabe aprovecharlo.

Jovellanos

* Emplead bien vuestro tiempo si queréis merecer descanso y no perdáis una hora, puesto que no estáis seguro de un minuto.

Benjamín Franklin

* El tiempo no es sino el espacio entre nuestros recuerdos.

Amiel

* El tiempo revela todas las cosas: es un charlatán y habla hasta cuando no se le pregunta.

Eurípides

* El tiempo disipa en el éter las sólidas aristas de los hechos.

Emerson

* El tiempo que huye no puede ser recuperado.

Virgilio

* El tiempo saca a luz todo lo que está oculto y encubre y esconde lo que ahora brilla con el más grande esplendor.

Horacio

* El tiempo descubre la verdad.

Séneca

* Confía en el tiempo, es el más sabio de todos los consejeros.

Plutarco

* El tiempo es como un río. Tan pronto como vemos una cosa, es arrastrada por él y otra ocupa su lugar, que a su vez no tarda en desaparecer.

Marco Aurelio

* Elegir el tiempo es ahorrar tiempo.

Bacon

* El tiempo cura las penas y las injurias porque todos cambiamos y dejamos de ser la misma persona; ni el ofensor ni el ofendido son el mismo.

Pascal

* El tiempo es oro.

Benjamín Franklin

* La velocidad del tiempo es infinita.

Séneca

* Los años enseñan mucho que los días nunca conocen.

Emerson

* El tiempo perdido no se recupera nunca y cuando decimos que tenemos tiempo de sobra, descubrimos siempre que nos falta tiempo.

Benjamín Franklin

* Siempre se tiene tiempo suficiente cuando se emplea como es debido.

Goethe

* Aquel que doblega a su tiempo obra cuerdamente.

Publio Siro

* Estos tiempos nuestros son graves y calamitosos, pero todos los tiempos son esencialmente iguales.

Emerson

* El tiempo vuela noche y día.

Shakespeare

* De los tiempos el que más corre es el alegre.

Virgilio

TRABAJO

* Para el hombre ocupado no hay día largo.

Séneca

* El trabajo es el único capital no sujeto a quiebra.

La Fontaine

* El trabajo es el padre de la gloria y de la felicidad.

Eurípides

* La pereza hace que todo sea difícil; el trabajo lo vuelve todo fácil.

Benjamín Franklin

* El trabajo es un medio, no un fin.

José Vasconcelos (mexicano)

* Es absurda y patética la forma en que alguna gente se medio mata trabajando, con la ilusión casi nunca cumplida de no trabajar más en un lejano día.

Luis Spota (mexicano)

* Del trabajo del obrero nace la grandeza de las naciones.

León XIII

* Vale más trabajar sin objeto que no hacer nada.

Sócrates

* El trabajo es un dulce recreo.

Horacio

* Dios ha puesto el trabajo por centinela de la virtud.

Homero

* La mujer que quiera ser virtuosa no debe tener piedad de sus manos.

Víctor Hugo

* Si todo el año fuera de alegre vocación, divertirse sería el más enojoso de los trabajos.

Shakespeare

* El trabajo dignifica al hombre, la explotación lo envilece.

Nikito Nipongo (mexicano)

* El trabajo redime a los hombres y salva a los pueblos.

Félix F. Palavicini (mexicano)

* Vive del producto de tu trabajo, porque así te será más agradable el sustento.

Francisco Javier Clavijero (mexicano)

* La diligencia es la madre de la buena ventura.

Cervantes

* Si alguno no quiere trabajar, que no coma.

San Pablo

* El trabajo fortifica el cuerpo, mantiene la salud, prolonga la vida y hace que el tiempo parezca más corto, porque el trabajo está en el orden de la Naturaleza.

Benjamín Franklin

* Se ama más lo que con más esfuerzo se ha conseguido.

Aristóteles

* El trabajo nos conduce contra el dolor.

Cicerón

* Yo considero dichoso a aquél que, cuando se habla de éxitos, busca la respuesta en su trabajo.

Emerson

* No es filósofo el que sabe dónde está el tesoro, sino el que trabaja y lo saca.

Quevedo

* El trabajo es el único consuelo práctico de haber nacido.

Unamuno

* No pierdas el tiempo. Ocúpalo siempre en alguna cosa útil. Abstente de toda acción que no sea necesaria.

Benjamín Franklin

* El trabajo es una plegaria que el cielo no desatiende nunca.

Justo Sierra (mexicano)

* El hombre se realiza como *homo faber* al trabajar con sus manos; el error es que ahora todos queremos ser *homo sapiens*.

Juan José Arreola (mexicano)

TRIUNFO

* Ningún vencido tiene justicia si lo ha de juzgar su vencedor.

  Quevedo

* Jamás serás vencido si no emprendes combates en que no dependa de ti vencer.

  Epicteto

* Hay que ser osado con las mujeres. De cada diez veces, una se logra triunfar.

  Stendhal

* La victoria sigue al gran hombre.

  Napoleón

* Vencer sin peligro es triunfar sin gloria.

  Séneca

* Quien vence sin contrario, no puede decir que vence.

  Fernando Calderón

* Una victoria vale por dos, cuando el que triunfa vuelva con toda su gente.

  Shakespeare

* La sombra del laurel embriaga o adormece.

  Pitágoras

* La victoria es por naturaleza insolente y altanera.

Cicerón

* Aníbal sabía lograr victorias, pero no hacer uso de ellas.

Plutarco

* Es la ley de la guerra que los vencedores traten a los vencidos a su antojo.

Julio César

* Llegué, vi y vencí.

Julio César

* La victoria no lo es todo, es lo único.

Vince Lombardi

VANIDAD

---

* Lo que nos hace insoportable la vanidad ajena es que hiere a la propia.

  La Rochefoucauld

* Mira que eres el que ha poco no fuiste y el que siendo eres poco y el que de aquí a poco no serás; verás como tu vanidad se castiga y se da por vencida.

  Quevedo

* La virtud no iría muy lejos si la vanidad no le hiciera compañía.

  La Rochefoucauld

* El hombre suele entregar la bolsa por la vida, pero entrega la bolsa por vanidad.

  Unamuno

* El que niega su propia vanidad suele poseerla en forma tan brutal, que debe cerrar los ojos si no quiere despreciarse a sí mismo.

  Nietzsche

* El fatuo es un medio entre el impertinente y el necio; es el compuesto del uno y el otro.

  La Bruyère

* La vanidad es el temor de parecer original; significa, pues, falta de orgullo, pero no supone falta de originalidad.

Nietzsche

* Los hombres se alaban a sí mismos, cuando carecen de amigos que los encomien.

Shakespeare

* Vale más consumir vanidades de la vida, que consumir la vida en vanidades.

Sor Juana Inés de la Cruz (mexicana)

* Si los hombres no fuéramos vanidosos, las mujeres nos lo harían ser.

Stendhal

* La vanidad de otro no va contra nuestro gusto, sino cuando va contra nuestra vanidad.

Nietzsche

* Quien no ve la vanidad del mundo, es que él es, en sí mismo, muy vano.

Pascal

VEJEZ

---

* Teme a la vejez, porque nunca viene sola.

    Platón

* Tememos la vejez, aunque ignoramos si llegaremos a ella.

    La Bruyère

* La vejez está entornizada junto con la cordura.

    Rubén Darío

* La palabra de la ancianidad es muchas veces oráculo.

    Publio Siro

* La autoridad es la corona de la vejez.

    Plutarco

* La vejez es el tiempo de practicar la sabiduría.

    Rousseau

* Para aprender a ser vieja hace falta un gran talento que tienen pocas mujeres.

    Oscar Wilde

* Durante la infancia, la vida se presenta como una decoración de teatro vista de lejos; durante la vejez, como la misma decoración vista de cerca.

    Schopenhauer

* Los hombres son como los vinos: la edad agria los malos y mejora los buenos.

Cicerón

* La vejez se descubre más cuando más se trata de encubrir.

Fray Luis de León

* Los ancianos desean dar buenos consejos, consolándose así de no poder dar por su edad malos ejemplos.

La Rochefoucauld

* Un anciano se asemeja a un libro cuyo forro ha sido roído por el tiempo y que algún día debe de aparecer de nuevo, revisado y corregido por su autor.

Benjamín Franklin

* La vejez no es soportable sin un ideal o un vicio.

Alejandro Dumas, padre

* Saber envejecer es la obra maestra de la sabiduría y una de las partes más difíciles del gran arte de vivir.

Amiel

* La vejez es un tirano que prohibe, bajo pena de muerte, todos los placeres de la juventud.

La Rochefoucauld

* Una bella ancianidad es, ordinariamente, la recompensa de una bella vida.

Pitágoras

* El drama de la vejez no consiste en ser viejo, sino en haber sido joven.

Oscar Wilde

* Cuando la muerte se aproxima, los viejos encuentran que la vejez ya no es una carga.

Eurípides

* Los viejos tienen menos enfermedades que los jóvenes, pero las que tienen no les abandonan nunca.

Hipócrates

* La vejez tiene un gran sentido de sosiego y libertad. Una vez que las pasiones han abandonado a su presa, se ve uno libre, no de un amo, sino de muchos.

Platón

* La vejez es una enfermedad incurable.

Séneca

* La debilidad más peligrosa de la gente vieja, que ha sido agradable, consiste en olvidar que ya no lo es.

La Rochefoucauld

* Los últimos años de la vida se asemejan al final de un baile de máscaras en que se dejan caer las caretas.

Schopenhauer

* He descubierto que tan pronto como las personas son lo bastante viejas para estar enteradas, no se enteran absolutamente de nada.

Oscar Wilde

* Un hombre viejo no es más que una voz y una sombra.

Eurípides

* Ningún hombre es tan viejo que no crea que puede vivir otro año.

Cicerón

* El hombre viejo es niño dos veces.

Shakespeare

* Se debe empezar pronto a ser viejo si se quiere serlo mucho tiempo.

Cicerón

* Los hombres poseen solamente un número determinado de dientes, cabellos e ideas y llega un momento en que se quedan fatalmente sin dientes, sin cabellos y sin ideas.

Voltaire

* No contamos los años de un hombre hasta que no le queda otra cosa que contar.

Emerson

* El amor de un viejo es como la luz del sol sobre la nieve: deslumbra más que calienta.

Anónimo

VENGANZA

* La venganza es una palabra inhumana.

    Séneca

* Cuando se hace daño a otro es menester hacérselo de tal manera que le sea imposible vengarse.

    Maquiavelo

* La enemistad oculta es la más peligrosa; declarada, carece de posibilidades de venganza.

    Séneca

* La cólera que se siente contra una persona, por violenta que sea, cesa cuando se toma venganza contra otra.

    Aristóteles

* Vengarse de una ofensa es ponerse al nivel de los enemigos; perdonársela es hacerse superior a ellos.

    La Rochefoucauld

* No hay más honrada venganza que la que no se toma.

    Quevedo

* Las venganzas castigan, pero no quitan culpas.

    Cervantes

* El vengarse prontamente es delito.

    Publio Siro

* Venganza es, de maldición una piedra, que tarde o temprano vuelve contra el mismo que la suelta.

Zorrilla

* El verdadero modo de vengarse de un enemigo, es no asemejársele.

Marco Aurelio

VERDAD

* Vaso de la fortuna es la verdad.

  Sócrates

* Entre dos cosas que nos son queridas, la amistad y la verdad, es una obligación sagrada dar la preferencia a la verdad.

  Aristóteles

* Nadie afronta las verdades desagradables hasta que no está en condiciones de superarlas.

  Bernard Shaw

* Sé amigo de la verdad hasta el martirio; pero no seas su apóstol hasta la intolerancia.

  Pitágoras

* El hombre no vive de pan, sino de verdad.

  Eurípides

* La verdad es de tal excelencia, que cuando elogia pequeñas cosas, las ennoblece.

  Leonardo da Vinci

* La verdad se corrompe o con la mentira, o con el silencio.

  Cicerón

* La verdad surge con más facilidad del error que de la confusión.

Bacon

* La verdad es hija del tiempo, no de la autoridad.

Bacon

* El único culto perfecto que puede rendirse a Dios es el culto de la verdad. Ese reino de Dios, cuyo advenimiento piden a diario maquinalmente millones de lenguas manchadas en mentiras, no es otro que el reino de la verdad.

Unamuno

* Si no conviene, no lo hagas; si no es verdad, no lo digas.

Marco Aurelio

* La verdad bien puede enfermar, pero no morir del todo.

Cervantes

* Es el hombre el que hace grande a la verdad y no la verdad la que hace grande al hombre.

Confucio

* El signo más evidente de que se ha encontrado la verdad es la paz interior.

Amado Nervo (mexicano)

* No hay verdad que no haya sido perseguida al nacer.

Voltaire

* Sólo la verdad os hará libres.

San Pablo

* La verdad moral es la estrella sin la que el alma humana no es más que una noche.

Víctor Hugo

* Para llegar al conocimiento de la verdad hay muchos caminos: el primero es la humildad, el segundo es la humildad y el tercero, la humildad.

San Agustín

* La verdad que se encuentra en los libros es una verdad que nos descubre, a veces, no cómo las cosas son, sino cómo las cosas no son.

Anatole France

VICIO

* El que tiene muchos vicios, tiene muchos amos.

  Plutarco

* Los vicios entran en la composición de las virtudes como los venenos en las medicinas. La prudencia los reúne y los combina para utilizarlos beneficiosamente contra los males de la vida.

  La Rochefoucauld

* No despreciamos a todos los que tienen vicios, pero sentimos desprecio por los que no tienen una sola virtud.

  La Rochefoucauld

* Prefiero un vicio tolerante que una virtud obstinada.

  Molière

* Mientras haya hombres habrá vicios.

  Tácito

* No hay un vicio que sea tan contrario a la Naturaleza que oscurezca toda huella de ésta.

  San Agustín

* Los dioses son justos y emplean nuestros vicios deleitosos como instrumentos para castigarnos.

  Shakespeare

* Los mismos vicios que nos parecen enormes e intolerables en los demás, no los advertimos en nosotros.

La Bruyère

* El vicio es un derroche de vida. La pobreza, la obediencia y el celibato son los vicios canónicos.

Bernard Shaw

* Ninguna pérdida hay tan grande, que el varón sabio no deba antes escoger que caer en un vicio.

Aristóteles

* La costumbre del vicio se vuelve en Naturaleza.

Cervantes

* Debemos aborrecer los vicios, no las personas.

Quevedo

* Menos camino hay de la virtud al vicio, que del vicio a la virtud.

Séneca

* Es de tontos ver los vicios de los demás y olvidar los propios.

Cicerón

* Los necios, mientras huyen de un vicio, caen en el contrario.

Horacio

* El sabio, viendo los vicios de los demás, corrige los suyos propios.

Publio Siro

* Es más costoso alimentar un vicio que criar dos hijos.

Benjamín Franklin

VIDA

* La verdadera felicidad, no importa con quien la vivas, es la de vivir tu vida sin contradicciones en tu mundo interior.

  Luis Spota (mexicano)

* En la primavera de la vida, hasta las espinas florecen y hasta las penas tienen un sabor de felicidad.

  Ignacio Manuel Altamirano (mexicano)

* La vida imita al arte mucho más que el arte imita a la vida.

  Oscar Wilde

* Vivir moralmente vale más que vivir.

  Aristóteles

* Si quieres saber lo que es la vida, pregúntate a ti mismo lo que es la muerte.

  Hebbel

* La vida humana no es más que una comedia, en la que, bajo una máscara prestada, cada uno representa su papel hasta que el empresario le obliga a salir de escena.

  Erasmo

* Comenzar a vivir, crecer, es un proceso doloroso; nuestra vida se inicia como un desprendimiento y culmina como un desarraigo.

  Octavio Paz (mexicano)

* La vida es una cadena de eslabones de hierro y oro.

Bécquer

* Muchos emplean la mitad de su vida en hacer miserable la otra mitad.

Benjamín Franklin

* La vida es simplemente un mal cuarto de hora formado con momentos exquisitos.

Oscar Wilde

* Puesto que no nos es permitido vivir mucho, debemos por lo menos hacer algo para demostrar que hemos vivido.

Cicerón

* La existencia es un manjar que sólo gusta por la salsa con que se adereza.

Víctor Hugo

* Los seres empiezan a vivir deveras cuando quieren ser otros que son y seguir, al mismo tiempo, siendo los mismos.

Unamuno

* Una vida bien cumplida es siempre larga.

Leonardo da Vinci

* La vida no es más que un campo de carreras donde debe volver uno sobre sus pasos cuando ha llegado a su extremo.

Goethe

* Vivir es querer sin descanso o restaurar cotidianamente la propia voluntad.

Amiel

* Si quieres vivir mucho, guarda un poco de vino rancio y un amigo viejo.

Pitágoras

* Ama la vida, afróntala, porque buena o mala, no tenemos otra.

Nietzsche

* Una parte de la vida la pasamos haciendo mal lo que hacemos, otra no haciendo nada y el resto haciendo lo que no deberíamos hacer.

Séneca

* No hay más que tres acontecimientos importantes en la vida: nacer, vivir y morir. No sentimos lo primero, sufrimos de morir y nos olvidamos de vivir.

La Bruyère

* Vivir es sentir la vida; es tener sensaciones fuertes.

Stendhal

* Como cada uno es, tal es su vida.

Platón

* Las cosas tienen vida propia, todo es cuestión de despertarles el ánima.

Gabriel García Márquez

* Se debe absorber el color de la vida, pero no se deben recordar nunca sus detalles.

Oscar Wilde

* La vida es un paraíso, pero los hombres no lo saben ni se preocupan de saberlo.

Dostoievski

* Si nada te parece delicioso sino el amor y la holganza, vive ocioso y amando.

Horacio

* La vida no deja de ser chistosa cuando la gente se muere, lo mismo que no deja de ser seria cuando la gente ríe.

Bernard Shaw

* La vida, tomándola tal como es, sin exageraciones ni engaños, no es tan mala como dicen algunos.

Bécquer

* Si no se tomara la vida como una misión, dejaría de ser vida para convertirse en infierno.

Tolstoi

* Cuando un hombre dice que ha agotado la vida, se sobrentiende siempre que es la vida la que le ha agotado a él.

Oscar Wilde

* Vivir es luchar.

Séneca

* El curso de la vida es breve; el de la gloria, eterno.

Cicerón

* La vida es como una leyenda: no que sea larga, sino que sea bien narrada, es lo que importa.

Séneca

* Una vida inútil es una muerte prematura.

Goethe

* La vida es una guerra sin tregua y morimos con las armas en las manos.

Schopenhauer

* La vida es como una escuela de gladiadores, donde los hombres viven y luchan unos contra otros.

Séneca

* La vida no es verdadera vida, sino sólo dolor.

Eurípides

* La vida es larga cuando es miserable, pero breve cuando es feliz.

Publio Siro

* La vida más larga y la más corta tienen la misma equivalencia, pues el presente es de igual duración para todos.

Marco Aurelio

* Entre nosotros y el cielo o el infierno, no hay otra cosa que la vida, que es la más frágil de todas las cosas.

Pascal

* Mi vida es un combate.

Voltaire

* La vida es un juego de azar.

Voltaire

* La vida es una serie de sorpresas.

Emerson

* La vida es un abismo.

Víctor Hugo

* Para la mayoría de nosotros, la vida verdadera es la vida que no llevamos.

Oscar Wilde

* La vida es un instinto de desarrollo, de supervivencia, de acumulación de fuerzas, de poder.

Nietzsche

* La vida es una enfermedad y la única diferencia entre un hombre y otro es la etapa de la enfermedad en que vive.

Bernard Shaw

* Somos con nuestras vidas como arqueros que tienen un blanco.

Aristóteles

* No trates de vivir por siempre; no lo lograrás.

Bernard Shaw

* Los hombres conocen la vida demasiado pronto; las mujeres, demasiado tarde.

Oscar Wilde

* La vida consiste en penetrar lo desconocido y adaptar nuestros actos a este nuevo conocimiento.

Tolstoi

* No se puede juzgar la vida de un hombre hasta que la muerte le haya puesto término.

Sófocles

* Aquel que se quita veinte años de vida se quita otros tantos años de temer a la muerte.

Shakespeare

* La vida es una cosa demasiado importante para hablar de ella seriamente.

Oscar Wilde

VIRTUD

* No basta tener la virtud y no hacer uso de ella; es como tener un arte y no ejercitarlo.

Cicerón

* Puede que la virtud no sea sino la urbanidad del alma.

Balzac

* La virtud consiste no en abstenerse del vicio, sino en no desearlo.

Bernard Shaw

* Para poder ser virtuoso se necesita Naturaleza, razón y hábito.

Aristóteles

* Más celo da a la maldad la virtud que el vicio.

Eurípides

* La virtud es un libro austero y triunfante en que todo padre debe hacer deletrear a su hijo.

Víctor Hugo

* Quien siembra virtud, fama recoge.

Leonardo da Vinci

* La virtud es la perfección de la Naturaleza.

Cicerón

* Los vicios del hombre son grabados en bronce y sus virtudes se escriben en el agua.

Shakespeare

* Letras sin virtud, son perlas en el muladar.

Cervantes

* Para medir la virtud de cualquier hombre, no hay que mirarlo en las grandes ocasiones, sino en la vida diaria.

Pascal

* Si nos guía la virtud, tendremos la fortuna por compañera.

Cicerón

* Cuando menos habla un hombre de sus virtudes, más le apreciamos.

Emerson

* La virtud, el estudio y la alegría, son tres hermanos que no deben vivir separados.

Voltaire

* Para que nazcan virtudes, es necesario sembrar recompensas.

Proverbio chino

* Ningún provecho hay en este mundo tan grande que se iguale con la excelencia de la virtud.

Aristóteles

* La virtud debe ser común al labrador y al monarca.

Confucio

* Del templo de la virtud se pasa al templo de la gloria.

Cicerón

* La virtud es el punto medio entre dos vicios.

Horacio

* La virtud es premio de sí misma.

Plauto

* La senda de la virtud es muy estrecha y el camino del vicio, ancho y espacioso.

Cervantes

* El hombre superior piensa siempre en virtud; el hombre vulgar piensa en la comodidad.

Confucio

* La virtud nunca se queda sola, aquel que la posee tendrá vecinos.

Confucio

* La virtud es una especie de salud, de belleza y de buenas costumbres del alma.

Platón

* La virtud, como el arte, se consagra constantemente a lo que es difícil de hacer y cuanto más dura es la tarea más brillante del éxito.

Aristóteles

* Las virtudes más grandes son aquellas que más utilidad reportan a otras personas.

Aristóteles

* Cuanto más virtuoso es el hombre, menos acusa de vicios a los demás.

Cicerón

* La plata cede al oro; el oro, a la virtud.

Horacio

* La Naturaleza no nos otorga la virtud; ser bueno es un arte.

Séneca

* La virtud es intrépida y la bondad nunca es medrosa.

Shakespeare

* Las mujeres más virtuosas son como los tesoros ocultos: están a salvo mientras nadie los busca.

La Rochefoucauld

* Hay pocas mujeres virtuosas que no estén cansadas de su profesión.

La Rochefoucauld

* Obra muy mal quien trata de obtener con el dinero lo que debe obtener con la virtud.

Cicerón

* La virtud debe tener límites.

Montesquieu

* La virtud de las mujeres se reduce muchas veces al amor por su reputación y su tranquilidad.

La Rochefoucauld

* Una mujer virtuosa tiene en su corazón una fibra más o una fibra menos que las demás mujeres. O es estúpida o es sublime.

Balzac

* Hasta la propia virtud se convierte en un vicio cuando es mal aplicada.

Shakespeare

* La virtud no es hereditaria.

Thomas Jefferson

ÍNDICE
DE AUTORES

A

D

E

F

G

H

I

J

K

L

M

N

O

P

Q

R

S

T

U

V

ÍNDICE
DE TEMAS

TÍTULOS
DE ESTA
COLECCIÓN